TOI, PAULINE

DU MÊME AUTEUR
CHEZ LE MÊME ÉDITEUR

CHEZ D'AUTRES ÉDITEURS

Tous les livres cités sont également publiés au Livre de Poche, excepté les romans des éditions Robert Laffont, publiés chez Pocket.

Janine Boissard

Toi, Pauline

roman

Fayard

Couverture : Nuit de Chine

ISBN : 978-2-213-71249-9
© Librairie Arthème Fayard, 2019.

Remerciements

Merci à mes sœurs, sans lesquelles je n'aurais jamais écrit cette histoire.

À vous, mes lectrices, si amicalement fidèles.

À Josyane Zürcher, mon amie aquarelliste, dont le talent a inspiré l'un des personnages de ce roman.

Et un « coucou » à mon cher Maurice Biraud qui a si magnifiquement interprété le docteur Moreau.

Hier, samedi 11 novembre, on a fêté mes 19 ans à « La Marette », notre maison à Jouy-le-Moutier : 3 900 âmes. Toute la famille était là, les parents et mes sœurs : Claire, l'aînée, surnommée la « Princesse », Bernadette, l'amoureuse des arbres, Cécile, la « Poison », et moi. Moi, Pauline, un point c'est tout.

Comme le veut la tradition, j'ai choisi le menu du déjeuner. Après l'apéritif-champagne avec plein de zakouskis : sole meunière, purée de pommes de terre et tarte au citron meringuée. Maman a commandé la tarte à la boulangerie-pâtisserie du village et Mme Dupin, la patronne, a dit qu'elle n'était pas d'accord : les tartes au citron ne sont pas faites pour les anniversaires. Et les bougies, vous les mettez où ? Et le nom de l'heureux élu sur la pâte d'amande, vous en faites quoi ?

Pour la pâte d'amande qui aurait saccagé la meringue, tant pis. Mais c'est vrai que maman a eu du mal avec les vingt bougies : une de plus pour assurer ses avants.

Pendant l'apéritif, j'ai eu droit à l'habituel refrain : quelle idée de venir au monde le jour des morts pour la

Patrie – majuscule obligatoire. Maman, la responsable, a rappelé que c'était préférable au 1ᵉʳ novembre, où toute la France est en deuil. Et, à propos de deuil, j'ai rappelé que, arrivée sans crier gare un mois à l'avance, mon berceau n'étant pas prêt, on m'avait couchée dans le tiroir de la commode « tombeau », magnifique antiquité en bois de chêne venant de grand-mère. Et bien sûr, Bernadette a applaudi. Parfois, j'ai l'impression que, si on n'arrête pas de radoter avec nos souvenirs, c'est pour se prouver qu'on est toujours aussi bien ensemble.

Si j'avais choisi la purée, c'est que j'aime y creuser des puits pour la sauce, même si, avec la sole meunière, ce n'est pas le Pérou.

– Ta sole, c'est qu'un nid à arêtes, a râlé la Poison.

– Dans tout restaurant qui se respecte, on vous la prépare et ne vous sert que les filets, a remarqué la Princesse.

– Respect ou non, moi je la préfère avec des frites, a déploré Bernadette.

Juste pour dire l'ambiance ! Papa a réconcilié tout le monde en racontant qu'un jour on lui avait amené en urgence à son cabinet un patient, une arête-épée plantée dans la gorge. Jusque-là rien de très original, sinon que le malheureux l'avait trouvée… dans une aile de poulet.

Quand les poules auront des arêtes…

Le grand moment venu, tout le monde s'est mis à chanter et maman a posé devant moi la tarte aux vingt bougies. J'ai pris garde à en laisser quelques-unes allumées, même si Cécile criait que la cire coulait dans la meringue.

– En voilà une qui n'a pas l'air pressée de quitter la maison, a constaté papa tout joyeux.

Aïe, qu'avait-il dit ! Cette maison, n'avais-je pas failli la quitter au printemps dernier pour suivre Pierre, l'homme que j'aimais ? J'ai baissé les yeux.

— « Toutes pour une, une pour toutes ! » a lancé Bernadette en balayant l'air d'un chapeau à plumes de mousquetaire.

Et tout le monde a ri un peu de travers, même moi.

— Ça fait quoi, d'avoir 19 ans ? m'a demandé Cécile après avoir savouré une gorgée de champagne-Coca, sa boisson préférée.

— Rien de particulier, ai-je triché.

Bernadette a menacé la Poison du doigt :

— Toi, quand tu les auras, on espère que tu arrêteras de pourrir le champagne avec du Coca.

— En principe, c'est à 18 ans – la majorité – que tu fais le grand saut, a remarqué Claire d'un ton blasé. Tu attends avec impatience, tu ouvres grand tes yeux : zéro, rien à l'horizon ! Sinon qu'avec le droit de vote, tu es entrée dans la cour des grands qui font plein de promesses qu'ils ne tiennent jamais.

— Juste une question, a demandé maman. C'est un anniversaire ou le chœur des pleureuses ? Moi, à 19 ans, ma vie a bel et bien été transformée… quand j'ai rencontré ce monsieur.

Et elle a désigné papa, qui a pris un air modeste.

Autre tradition, l'héroïne de la fête est dispensée de vaisselle, ce qui m'a permis d'aller admirer tranquillement mes cadeaux sur le canapé du salon.

Sans surprise, à ma demande, les parents m'avaient fait un chèque. Ils y avaient ajouté un ptit plus : quelques CD de mes chanteurs préférés, dont un de Marc Lavoie avec « Je m'envole », la plus belle chanson du monde, même si elle a cent ans. Claire m'avait offert un flacon de parfum, Bernadette, un cabas marrant : « Hello, you ! » Quant à Cécile, elle avait fait rire tout le monde avec un ours en peluche à bonnet de clown pour remplacer mon vieux qui, prétendait-elle, empestait. Depuis quand remplace-t-on le confident de ses premières joies, de ses premières larmes ? Par un clown en plus.

Enfin, de la part de grand-mère, envoyé par Colissimo avec accusé de réception, j'avais trouvé un écrin contenant des boucles d'oreilles en forme de cœur. Tous les cadeaux de grand-mère renferment des messages. Pour déchiffrer celui-là, j'attendrai un peu.

Afin de prolonger la fête, les parents m'avaient proposé de m'emmener au cinéma ou voir un spectacle de mon choix. J'avais refusé, préférant rester à la maison. Après le déjeuner, chacun est parti de son côté. Il ne faisait pas trop mauvais, je suis sortie.

Novembre est peut-être le mois des morts, c'est aussi, paraît-il, le meilleur pour planter. Notre voisin, M. Tavernier, qu'on appelle le « barbouze » parce qu'il n'arrête pas de nous espionner, s'y employait dans son petit lopin de terre, à grands coups de bêche. Ça sentait fort le crottin de cheval qu'il utilise comme engrais. De crainte qu'il ne m'appelle, j'ai couru jusqu'au fond du jardin, le « petit bois », là où on replante les sapins de Noël : depuis le temps, une vraie forêt.

À noël dernier – ce petit sapin là – Pierre était entré dans ma vie. Il avait 40 ans, il était journaliste et passionné par la photo. Durant quelques mois, nous nous étions aimés, mais il n'était pas libre et, plutôt qu'à l'aventure avec lui, j'avais choisi la maison.

Je l'ai regardée, pas particulièrement belle mais solidement plantée dans la terre : deux étages pleins de fenêtres, des murs retentissant de cris de protestation ou de joie, d'odeurs qui ne parlent qu'à nous et d'une lumière qui ne s'éteint jamais tout à fait.

Durant cette année de mes 19 ans, il me faudrait essayer d'accepter mon choix et la douleur qui va avec.

Au creux d'une branche d'un petit sapin déplumé, j'ai cru voir une étincelle. Je l'ai cueillie au bout de mon doigt : deux centimètres de guirlande qui ne brillait que pour moi. L'espoir malgré tout ?

– 2 –

Je n'oublierai jamais ce matin ensoleillé de début septembre où, maman et moi, nous sommes entrées dans la cour
d'honneur de la Sorbonne où j'avais décidé de m'inscrire.

C'était l'été indien, assis sur des marches ou sur le pas
des portes, quand ce n'était pas à même le sol, filles et garçons vêtus de toutes les couleurs formaient comme une frise
joyeuse au bas des murs du célèbre établissement. Nous nous
sommes regardées et maman m'a dit avec un sourire : « C'est
là. »

Oui, c'était là que, sans que nul ne m'y oblige, je passerais mes prochaines années, choisirais ma direction, forge-
rais mon avenir. Et tant pis pour les grands mots, la « cour
d'honneur » me les dictait. Terminé le gris lycée, les matières
imposées – « matières », pouah ! –, cette impression, souvent,
de perdre mon temps. Chacune de mes heures serait choisie,
et si ça n'allait pas, je n'aurais à m'en prendre qu'à moi. Ça
irait !

Quand, le 7 juillet, jour des résultats du bac, j'avais lu mon
nom sur la liste, suivi de la mention « bien », la lumière,

comme d'une porte brusquement entrouverte, m'avait emplie d'énergie. À moi, désormais, de l'ouvrir tout à fait. J'allais m'y employer.

Non loin de moi, elle aussi reçue avec mention, Béatrice, ma meilleure amie, toisait dédaigneusement un petit groupe de pleureurs.

– Avec 90 % d'élus, pour être recalé, il faut vraiment le vouloir ! avait-elle remarqué durement.

– N'empêche que cette nuit tu n'as pas dû dormir beaucoup mieux que moi, lui avais-je renvoyé.

Après avoir récupéré nos livrets scolaires et fait valider le résultat, nous avions décidé de fêter notre victoire dans un bistro voisin d'où j'avais joint maman, ravie, qui transmettrait.

– Tu n'appelles pas ton père ? avais-je demandé à Béa.

– Mon père s'en fout. De toute façon, je ne sais même pas où il est.

Les parents de Béa avaient divorcé et sa mère, riche femme d'affaires américaine, n'avait pas souhaité avoir sa garde. Son père, diplomate, ne cessait de parcourir le monde, laissant sa fille livrée à elle-même dans son luxueux appartement avec autant de sous qu'elle voulait pour se faire pardonner et champagne à discrétion plein la cave. Personne à qui annoncer son succès… J'ai compris sa dureté.

Elle a levé son verre de limonade et l'a heurté au mien : « À notre avenir glorieux », a-t-elle fanfaronné.

Voilà longtemps qu'elle avait choisi sa direction : le journalisme. Devenir grand reporter, parcourir le monde comme son oncle Pierre, oui, « mon » Pierre. C'était elle qui me l'avait présenté. Elle avait tenté de me convaincre de la suivre : « Toi qui aimes écrire, ce sera une bonne école. Et qui sait si tu ne t'y feras pas un nom qui t'aidera par la suite pour publier tes romans ? »

« Se faire un nom », l'expression m'avait frappée. Sous ce nom, qui y aurait-il à part la troisième fille du docteur Moreau : Pauline, un point c'est tout. Un point c'est rien ? J'avais longtemps douté de moi, Pierre m'avait aidée à prendre de l'assurance. Sans lui, je doutais à nouveau.

Mais j'avais, moi aussi, décidé depuis longtemps de ma voie : une licence de lettres avec deux options supplémentaires : « Grec classique », moi que les mots passionnent, leur origine, leurs secrètes couleurs. Et « Initiation à la peinture », ne connaissant pas grand-chose à cet art, tout en étant attirée par des peintres tels que Van Gogh ou Claude Monet dont j'avais visité le jardin à Giverny.

Donc, ce matin-là de septembre, maman m'avait accompagnée à la Sorbonne. Après des heures passées à monter des escaliers, nous perdre dans des couloirs, frapper à d'innombrables portes, nous avions enfin obtenu tous les éléments nécessaires à mon inscription, plus une solide documentation sur les options choisies.

Il était 4 heures de l'après-midi, le déjeuner était loin, maman m'avait invitée à manger une gaufre à la terrasse d'un café du boulevard Saint-Michel. L'air était incroyablement doux, une petite foule, nez en l'air, se pressait sur les trottoirs, beaucoup de jeunes et d'étrangers, une atmosphère fiévreuse de fête, à l'opposé de celle qui régnait dans notre village un peu endormi de Jouy-le-Moutiers. Les deux me convenaient.

– Merci d'avoir pris ta journée pour moi, ai-je dit à maman.

– C'est le moins que je pouvais faire pour ma fille, a-t-elle répondu avec un sourire. Et elle a ajouté, ses yeux dans les miens : Est-ce que cette fille va mieux ?

– Il me semble, ai-je répondu. « Depuis aujourd'hui ».

Plus tard, à « La Marette », je suis montée dans ma chambre et j'ai étalé sur mon lit les documents rapportés de la Sorbonne : Pierre aurait été content. J'ai entendu sa voix : « Les "Lettres", bien sûr ! Plein de Lettres avec majuscules que tu enverras au monde pour le mettre à tes pieds. »

J'ai regardé, au mur, la photo qu'il m'avait donnée en cadeau d'adieu : une photo prise par lui en Italie sur les côtes douces et sablonneuses de l'Adriatique. Le soleil se lève, teinte le ciel de bleu mandarine. On aperçoit la mer, une barque, un bouquet de pins. Assis sur un banc, vu de dos, un couple admire le paysage. Monte une sensation de paix.

Cette photo était au mur de l'atelier de Pierre et j'avais pris cet homme et cette femme, dont je ne connaissais ni les visages ni les noms, pour témoins de nos amours clandestines. Je leur confiais mes sentiments, mes joies et mes doutes. Et lorsque la vie nous avait séparés, je leur avais fait mes adieux sans me douter qu'ils me suivraient dans ma chambre de jeune fille.

Ce soir-là, je leur ai dit qu'il me semblait avoir accompli un premier pas, non vers l'oubli, mais vers l'acceptation de cette foutue vie qui fait exploser votre poitrine de bonheur, avant de vous planter une flèche en plein cœur.

– 3 –

Cécile est passée en quatrième à son collège. Elle ne se console pas de faire les trajets sans moi. Résultat, les parents lui ont offert la trottinette qu'elle leur réclamait depuis des mois. Elle l'utilise jusqu'au métro, la plie et la glisse dans un sac qu'elle porte fièrement en bandoulière, en plus de son sac à dos : un vrai mulet ! Arrivée à destination, elle la gare dans le local affecté aux deux-roues, armée d'un énorme cadenas. Il lui arrive d'aller vérifier qu'elle est toujours là à l'heure de la cantine. À part ça, papa l'a avertie que, s'il la surprenait une seule fois sans casque, il la lui supprimerait et qu'elle devrait attendre sa majorité pour la récupérer. Comme quoi, avoir 18 ans présente malgré tout quelques avantages.

Mais le plus beau cadeau qu'elle a reçu, celui-là du ciel, a été ses règles. Treize ans et toujours rien : la honte ! Même le récit de ce qui était arrivé à grand-mère ne parvenait plus à la dérider : « Elle, c'était le Moyen Âge », grommelle-t-elle.

Au Moyen Âge, donc, la mère très très coincée de grand-mère ne lui avait parlé de rien. Et voilà qu'une nuit elle se réveille en proie à de violents maux de ventre, quelque

19

chose coule sur le drap, elle le soulève : horreur, c'est du sang. Croyant sa dernière heure venue, plutôt que de se traîner jusqu'à la chambre conjugale pour appeler au secours, elle relève le drap et s'apprête à mourir.

L'histoire dit que, lorsque notre arrière-grand-mère, surprise de ne pas la voir à la table du petit déjeuner, entra dans sa chambre et la trouva, les mains serrant sa médaille de baptême croisées sur sa poitrine, drap taché de sang, quand bien même elle aussi y était passée, elle tomba évanouie à côté de la « morte ».

Cécile choisit toujours ses moments pour annoncer les grandes nouvelles. C'est ainsi qu'elle s'est retenue jusqu'au déjeuner dominical, rassemblant toute la famille, plus un invité de marque : Henri Vincent, médecin humanitaire, ami de Claire, et son employeur depuis qu'elle a accepté, en septembre dernier, de le seconder dans sa « Maison des orphelins » à Pontoise. Ce qui lui vaut d'être surnommée « mère Teresa » par la Poison.

Bref, nous attaquons les hors-d'œuvre (œufs mimosa – spécialité de maman) quand elle lance triomphalement.

– Ça y est, je les ai, pas trop tôt !

Bien sûr, tout le monde a compris, sauf notre invité, qui la regarde en ouvrant de grands yeux. Bernadette fonce.

– Eh bien bravo ! On est tous super-contents pour toi. Et maintenant, on passe à autre chose : délicieux, ces œufs, non ?

Furax, Cécile se referme. Henri Vincent se tourne vers elle avec un gentil sourire.

– Peut-on savoir ?

CHAPITRE 3

— Ben… mes ragnagnas, se précipite-t-elle.

— Vulgaire ! proteste Claire. Et on ne parle pas de ces choses-là à table. En plus devant un étranger.

— Ah bon ? Parce que Henri est un étranger pour toi ? rigole la Poison en lançant un regard de compassion au malheureux. Et c'est pas parce que toi, tu les a eues à 11 ans et qu'il t'a fallu six mois pour nous mettre au courant, que ça te permet de faire ton outragée.

— S'il vous plaît, s'il vous plaît, le sujet est clos, ordonne papa tandis que maman réprime un sourire.

Nous replongeons dans les œufs mimosa.

J'avais eu la primeur de l'annonce la veille, à l'aube, quand Cécile était venue se glisser dans mon lit, équipée comme il fallait, plus une bouillotte d'eau chaude contre son ventre qui, affirmait-elle, du haut de son expérience, lui procurait les mêmes douleurs qu'un accouchement. Ce qui ne l'empêchait pas de crier victoire. Enfin, elle allait pouvoir, dans sa classe, faire partie du « Club des F », F comme Femme. À son tour de marcher la tête haute, dédaigner les « bébés Cadum » qui ne voyaient rien venir, se livrer à des concours de poitrine, centimètre à l'appui, et regarder les garçons de haut.

Pour la poitrine, c'était loin d'être gagné, mais, indéniablement, Cécile devenait jolie. Tout en elle s'allongeait, s'affinait, adieu la « boulotte ». Ce dont elle était le plus fière, c'étaient ses cils, étonnamment longs et fournis depuis qu'elle y appliquait la crème raffermissante de nuit, empruntée à la Princesse, chut !

Me souvenant du sourire indulgent de maman, je me suis demandé si elle sourirait encore en apprenant que la Poison fréquentait des sites porno sur Internet et en savait sans doute plus qu'elle sur le sujet. Elle m'avait fait voir et, quand je lui avais dit que je trouvais ça dégoûtant, elle avait soupiré : « Que veux-tu, c'est l'appel de la nature. » Et après que je lui avais rapporté les paroles de papa : « L'amour n'a rien à voir à l'affaire et entre deux partenaires qui s'aiment c'est mille fois meilleur », elle avait répondu : « Si certains préfèrent ça, c'est leur affaire et, aux dernières nouvelles, on vit en démocratie. »

Les sites de rencontres la branchent également. D'ici qu'elle s'y inscrive pour aller y voir de plus près. Aïe !

– 4 –

Claire avait toujours rêvé d'être mannequin et nous nous étions souvent demandé d'où lui venait ce désir de briller, être vue, admirée, se pavaner sur les podiums, sans jamais trouver la réponse. La connaissait-elle elle-même ? Au sortir d'une école de mode, elle avait été la proie d'un coach rapace qui avait abusé de sa naïveté, lui promettant un avenir glorieux de top model, avant de disparaître, la laissant le cœur brisé et toutes illusions envolées. Et c'était dans l'espoir de l'aider à s'en remettre que grand-mère l'avait emmenée en Grèce où un bienheureux hasard leur avait fait croiser le chemin d'Henri Vincent.

40 ans, médecin humanitaire, il travaillait à « Save the Children », une association s'occupant des petites victimes de la guerre. Ils avaient sympathisé et lorsqu'en septembre dernier, rentré en France, il avait proposé à Claire de travailler avec lui et qu'elle avait accepté, nous nous en étions tous réjouis. Notre Princesse commençait-elle à oublier ses rêves de gloire et celui qui l'avait trahie ?

Mais voilà que depuis quelques semaines, et sans que nous en connaissions la raison, elle se refermait à nouveau. Son front buté, ses brusques silences, l'impression qu'elle était ailleurs, nous rappelaient de bien mauvais souvenirs. Sans compter ces airs d'opéra – sa passion – qu'elle se passait en boucle, évoquant des tragédies. Allions-nous devoir, une fois encore, faire appel à grand-mère pour savoir ce qui lui arrivait ?

Ce dimanche, à tout hasard, je lui ai proposé de venir au cinéma avec moi à Paris, voir le dernier Woody Allen, réalisateur dont j'apprécie le talent et l'humour. À ma grande surprise, elle a dit oui sans hésiter. Le film se donne au Châtelet, nous visons la séance de 16 heures et avons décidé de nous y rendre en métro, se garer à Paris relevant du miracle. Nous laisserons la Twingo de Claire près de la gare.

Peu de voyageurs en ce début d'après-midi dominical. Dans notre compartiment, la plupart des sièges sont vides. Non loin de nous, une maman avec sa petite fille qui fait des mines et un couple de quadras scotchés à leurs ordinateurs. Sur la banquette voisine de la nôtre, une vieille dame à chignon blanc tenant précautionneusement sur ses genoux une boîte à gâteaux rose bonbon entourée d'une ficelle dorée, et un minuscule sac à main datant de Mathusalem, long manteau noir et solides baskets. Aujourd'hui, même les grands-mères portent des baskets : question de stabilité. Claire et moi échangeons un regard attendri.

Ils montent à la station « Nanterre » : trois garçons bottés de cuir, sweats à capuche rabattue sur leurs visages. Des yeux, ils font le tour du compartiment avant de venir vers nous et de s'installer près de la vieille dame, l'un à côté, les autres en face. Mon cœur bat : ils n'ont pas choisi ces places par hasard.

Les portes se referment et le métro démarre. La vieille dame s'est tournée vers la fenêtre. Cela ne doit pas l'empêcher de les voir – vitres-miroirs. L'un d'eux baisse nonchalamment sa capuche : cheveux ras, crête rousse dressée sur le dessus du crâne : affreux. Leur âge ? Une vingtaine. Je regarde Claire, impassible. Ça me rassure un peu.

Pas longtemps.

– Vous avez vu, les mecs, mamie a pensé à nous ! s'exclame le rasé.

Et il glisse le doigt dans la boucle de la ficelle dorée, soulève la boîte à gâteaux et la fait tourner sous les yeux de la vieille dame pétrifiée. Les passagers les plus proches se tournent vers eux, dont la maman avec la petite fille. Claire s'est tendue. À présent, ils font des paris sur le contenu de la boîte : « éclairs ? », « babas ? », « religieuses, ah ah ? ». Prochaine station : « La Défense ».

La mère se lève, prend la main de sa fille et l'entraîne vers la porte. La gamine se tord le cou pour voir les garçons. Le métro entre en gare, elles descendent. Comme s'il s'était donné le mot, le couple aux ordinateurs se lève à son tour et les suit. Quelques voyageurs montent, dont un vieux monsieur qui s'installe non loin et déploie son journal. Alors que le train s'ébranle, je peux voir, arrêtée sur le quai, la mère de la fillette qui nous cherche des yeux : sauvées ? La grand-mère nous lance un regard affolé, Claire lui sourit, le métro s'engage dans le tunnel.

– Et maintenant, la surprise du chef ! lance un des voyoux.

Il soustrait la boîte à son copain, arrache la ficelle et l'ouvre. Apparaissent des rangées de macarons de plusieurs couleurs.

– Ça alors, mon gâteau préféré !

Il se tourne vers nous, nous présente la boîte.

– Honneur aux dames !

Je m'entends bredouiller « non merci ». Claire regarde ailleurs.

– Savez pas ce que vous perdez.

Et les voilà qui piochent tous ensemble dans les maca-rons, y mettent le bazar, goûtant l'un, rejetant l'autre, don-nant bruyamment leur avis tandis que la grand-mère nous adresse des regards suppliants. Les voyageurs les plus proches s'éloignent, mine de rien, dont le vieux monsieur au journal. Je regarde la manette du signal d'alarme, près de la porte. Devrais-je me lever, la baisser ? J'ai entendu dire que le train s'arrêtait automatiquement. Et après ? Combien de temps avant que le conducteur, ou quelqu'un d'autre, ne vienne voir ce qui se passe ? Certainement assez pour que des représailles s'exercent. Je ne bouge pas : après tout, il ne s'agit que de gâteaux.

Le train ralentit : « Étoile-Charles de Gaulle », Claire va-t-elle se décider à bouger ? Descendre ? Je ne sais pas ce que je souhaite. Et c'est la grand-mère qui soudain se lève, entraînant la chute des gâteaux sur le sol. Son sac pressé contre sa poitrine, elle bredouille « pardon, pardon » et tente de se glisser entre les jambes de ses agresseurs. Deux paires de bottes se tendent pour l'en empêcher. Elle retombe sur son siège avec un cri d'oiseau.

– Je suis sûr que c'est pas ta station, ricane un des salauds. Me dis pas que tu as la trouille ?

Voilà la gare, les lumières, les affiches, les distributeurs de boissons, la vie. Autour de nous, tout le monde des-cend. Claire ne bouge pas. Des voyageurs montent dont, au dernier moment, un jeune garçon en tenue de sport qui se glisse dans le wagon juste avant la fermeture des portes. Ouf, il y est !

Il doit avoir l'âge des agresseurs, je cherche son regard : « Aidez-nous ». Mais il est trop loin, occupé avec son smartphone. Et, à peine notre métro reparti, c'est au sac de la vieille dame que s'attaque son voisin. Il le lui arrache, l'ouvre, le retourne. Tombent un trousseau de clés, un porte-monnaie, un mouchoir. Il ouvre le porte-monnaie : « Voyons voir », le retourne à son tour, déclenchant une petite pluie de pièces, un billet de 20 euros.

— Pas la fortune, les mecs !

Les quelques personnes nouvellement entrées s'éloignent déjà. Le pire, c'est leur calme : ils ont tout leur temps, personne ne les arrêtera. Tous des lâches ? Je cherche des yeux le jeune homme en tenue de sport et l'horreur me submerge. Le bras levé, il filme la scène avec son smartphone. C'est impossible, c'est inhumain. Et le pire est à venir.

— Mais la voilà, la fortune ! triomphe le troisième garçon, qui, jusque-là, n'avait encore rien dit – Qu'avais-je espéré ?

Il désigne, incrustés dans le lobe des oreilles de la vieille dame, deux minuscules diamants. Il en approche les doigts.

— Fichez-lui la paix ! ordonne Claire

Elle se lève, tend la main à la grand-mère : « Venez, madame, on descend. » Elle récupère le sac, les clés, le billet. Pendant quelques secondes, les agresseurs se sont figés, incrédules, avant qu'un sale sourire ne se forme sur leurs visages.

— Toi, la poupée, tu descends si tu veux. Tu nous laisses la vieille. T'as pas compris ? Elle aime la compagnie des jeunes.

C'est alors que Claire leur dit :
— Vous êtes des lâches, vous me dégoûtez.

Après, tout est allé très vite. Un poing s'est abattu sur le visage de ma sœur, suivi par d'autres. Elle s'est affaissée très lentement, comme au ralenti, sur le sol. Ils la frappaient à coups de bottes, je criais : « Arrêtez, mais arrêtez. » Quelqu'un a tiré la sonnette d'alarme au moment où le train entrait en gare.

Les lâches ont disparu.

Des gens couraient sur le quai, ils criaient au conducteur d'attendre, de ne pas repartir tout de suite. J'entendais les mots « blessée », « agression ». Deux hommes ont sorti Claire du wagon et l'ont étendue comme ils ont pu sur plusieurs sièges, tout près d'un distributeur de boissons et de confiseries. Sa jupe relevée découvrait ses collants déchirés, je l'ai baissée. J'avais récupéré son sac parmi les débris de macarons, un joli sac, une grande marque comme tout ce que la Princesse portait, et je me disais « à quoi bon ? » et je la suppliais de vivre.

Les paupières closes, du sang coulant sur son visage, elle ne réagissait plus : une poupée de chiffon. « Toi, la poupée... » Comme elle leur avait répondu ! Sans peur, droit dans les yeux. Et comme, d'un seul coup, il y avait tous ces gens autour d'elle, prêts à l'aider, alors que quelques minutes seulement auparavant... J'ai cherché des yeux le garçon au smartphone, lui aussi avait filé. Je l'aurais tué.

Un homme coiffé d'une casquette se frayait un chemin jusqu'à nous : le conducteur du train. Il a regardé Claire.

— J'ai appelé les secours, ils sont en route, nous a-t-il rassurés. Surtout ne touchez à rien avant leur arrivée.

La vieille dame a attrapé sa manche : « Elle m'a sauvée, vous savez ? Elle m'a sauvée. » J'avais tellement honte, même pas fichue de tirer le signal d'alarme avant qu'ils ne massacrent ma sœur. Me le pardonnerait-elle jamais ?

— Écartez-vous, s'il vous plaît, laissez-nous passer...

Trois pompiers sont apparus. L'un s'est détaché du groupe et il a mis un genou à terre près de Claire.

— Madame, je suis médecin. Si vous m'entendez, faites-moi signe.

Imperceptiblement, Claire a remué la tête. Une vague de soulagement m'a noyée.

— Pouvez-vous parler ?

Elle n'a pas réagi.

— Ne bougez plus, tout va bien, nous allons vous emmener à l'hôpital.

Il s'est relevé.

— Monsieur ? ai-je appelé.

Il a tourné la tête vers moi.

— Je suis sa sœur, est-ce que je peux venir avec vous ? ai-je supplié. S'il vous plaît !

— Sans problème.

J'avais eu si peur qu'il refuse, j'ai fondu en larmes.

— Ça va aller, a-t-il dit.

Puis il parlait dans son portable, les autres pompiers étendaient Claire sur une civière, la vieille dame m'a tendu un bout de papier avec un numéro.

— C'est mon téléphone, vous voudrez bien me donner des nouvelles ? a-t-elle chevroté.

J'ai incliné la tête.

Lorsque je le ferais, je n'aurais aucun nom à mettre sur le numéro : Claire avait sauvé une parfaite inconnue.

Nous roulions, toutes sirènes déployées, vers l'Hôtel-Dieu. Claire était étendue à l'arrière sur un lit-brancard, une couverture jusqu'au menton, le médecin et moi assis près d'elle. Il avait mis un pansement sur son œil et m'avait rassurée : apparemment, il n'avait pas souffert, le sang venait de l'arcade sourcilière. On allait vérifier tout ça.

— Pauline ? a appelé Claire tout bas.

Je me suis penchée sur elle, le cœur en débandade : son premier mot, mon nom. Elle a ouvert son œil valide :

— Appelle papa, vite. Dis-lui de venir.

J'ai sorti mon portable. Bien sûr ! La première chose que j'aurais dû faire. Mes doigts tremblaient sur les touches. Il était sur répondeur. Maman ? J'allais l'affoler. Cécile, bien sûr ! Elle a répondu immédiatement.

— Pauline ?

— Papa est là ?

— Dans le jardin. C'est quoi, cette sirène ? Vous êtes pas au cinéma ?

Je me suis retenue de crier :

— Va le chercher tout de suite. Il faut que je lui parle.

— OK, OK...

Claire avait refermé son œil. J'ai tenté de me calmer. Attention, il faudrait que j'y aille doucement avec papa.

– Pauline ? Qu'est-ce qui se passe ? Où êtes-vous ?

Sa voix était essoufflée, il avait dû courir. J'ai dit « Claire » et je n'ai pas pu aller plus loin, étouffée par les sanglots. Le médecin m'a pris mon portable, je l'ai entendu résumer la situation, prononçant à plusieurs reprises les mots : « pas trop grave » et « rassurez-vous ». Il a terminé par : « Aux urgences de l'Hôtel-Dieu » et il m'a rendu mon appareil.

– Votre père arrive tout de suite... Pauline – c'est bien ça ? Et elle, c'est Claire ?

Il était plus de 5 heures. Au cinéma « UGC Les halles », le film avait dû commencer depuis un bon moment. J'étais assise dans une petite chambre à côté d'un lit bardé d'instruments barbares où on avait installé Claire après de premiers examens. Elle semblait calme, apaisée. Elle portait une vilaine chemise à pois nouée derrière son cou. Son visage avait été nettoyé et ses cheveux lavés, le tout d'une couleur jaunâtre due au désinfectant. L'infirmière m'avait dit que l'on viendrait bientôt la chercher pour un scanner. « Si vous avez besoin de quoi que ce soit, n'hésitez pas à appeler. » Et elle avait désigné une poirette suspendue aux barreaux du lit avant de sortir, laissant la porte entrouverte.

– Papa ? a demandé Claire.

– Il arrive.

Elle a eu un soupir.

– Pauvre grand-mère, elle ne mangera pas ses macarons.

– Elle m'a donné son numéro. J'ai promis qu'on l'appellerait. Tu l'as sauvée.

– Le moyen de faire autrement ?

J'ai bredouillé, des larmes dans la voix.

– Est-ce que tu as eu peur ?

– Oh là, très !

J'aurais tellement préféré qu'elle réponde « non ». C'est plus facile d'être courageux quand on n'a pas peur. À moins que le courage ne soit d'agir malgré sa peur.

Des pas pressés ont retenti dans le couloir. La porte a été poussée et les parents sont apparus. Bien sûr, maman était venue aussi. Papa s'est approché du lit.

– Alors, on ne laisse même plus son père jardiner tranquille le dimanche ? a-t-il demandé d'une grosse voix.

– Pardonne-moi, a murmuré Claire.

– Oh, ma chérie, a dit maman, ma brave…

Claire m'a désignée :

– Heureusement que Pauline était là !

– Et j'ai su qu'elle me pardonnait. Pas une princesse : une reine !

– Est-ce que tu souffres ? l'a interrogée papa.

– Surtout quand je respire, les côtes…

– Ton œil ?

– C'est le sourcil qui a tout pris.

Du dos de ses doigts, très doucement, il a caressé sa joue.

– Je vais essayer de voir le médecin qui s'est occupé de toi, je reviens tout de suite.

Et il s'est dirigé vers la porte.

– Papa ! a-t-elle appelé.

Il s'est arrêté.

– J'ai reçu pas mal de coups de pied dans le ventre. Il faut que je te dise… Je suis enceinte.

Très très lentement, papa est revenu vers Claire. Elle ne souriait plus. Elle le regardait avec cet air farouche qu'elle a lorsqu'elle redoute de n'être pas entendue. Claire enceinte… la réponse aux questions que nous nous posions.

– Henri ? a demandé maman à voix basse.

Elle a acquiescé. Henri, bien sûr ! Je me suis souvenue de la dernière fois qu'il était venu à la maison, très exactement dimanche dernier, le fameux « déjeuner-ragnagnas », pardon, vulgaire ! Je les ai revus côte à côte, Claire ulcérée, lui indulgent. Ils avaient sacrément bien caché leur jeu. Aucun de nous, même pas l'experte Poison, n'avait rien flairé.

Mais il avait 40 ans, presque le double de l'âge de Claire. Il était veuf d'une femme qu'il avait suffisamment aimée pour abandonner une carrière de neurologue afin de poursuivre son œuvre. Et père de deux enfants. Et sans arrêt en voyage… Comment aurions-nous pu imaginer que notre Princesse et lui ?

– Combien de temps ? a demandé papa d'une voix professionnelle.

Claire a posé la main sur son ventre.

— Huit semaines.

— Veux-tu que j'appelle Henri pour lui dire ce qui s'est passé ?

Elle a eu un sursaut :

— Surtout pas !

— Et, plus bas :

— Il ne sait pas pour le bébé.

Là, on est tous restés cloués. Et soudain j'avais envie de rire : dans sa tenue de jardinier, ses baskets terreuses, mal rasé, coiffure épouvantail, papa avait l'air de tout sauf d'un médecin. Juste un père, un père totalement désarçonné par sa fille. Quatre filles, pas du gâteau ! Quoi qu'il dise, il devait lui arriver de regretter le garçon.

Il a écarté maman pour venir au plus près de Claire.

— Explique-toi.

— Déjà avec deux gamins, c'est pas facile pour Henri d'exercer son métier, alors en rajouter un ! D'autant qu'il n'était pas prévu au programme, c'est un accident.

— Serais-tu en train de nous dire que tu songeais à t'en défaire ?

« Avorter », mot interdit ! Claire a détourné la tête. Un ange est passé, ou plutôt un diablotin. Même si c'est de plus en plus rare, nous avons des parents croyants. Nous, les filles, on ne sait pas trop : Jésus-Marie-Joseph, ça fait une famille, une maison en plus.

Maman s'est reprise la première.

— Je suppose que vous vous aimez.

— MAMAN ! a protesté Claire.

— Eh bien, tu vois, tel que je connais Henri – et que nous le connaissons tous –, il me semble qu'il sera heureux de te voir porter son enfant, lui qui a voué sa vie à leur procurer un toit.

Elle a souri :

— Par ailleurs, je pense que ton choix est fait : le garder.

Cette affirmation ! Pas du tout le genre de maman, elle, c'est une écouteuse. Que lui arrivait-il ?

— Sinon, tu ne te serais pas inquiétée des coups de pied que tu as reçus dans le ventre, a-t-elle expliqué tranquillement.

Et c'était tellement évident que Claire n'a pas répondu.

Papa s'est levé.

— Je vais demander à ce qu'on pratique une échographie en plus des autres examens.

Et il a filé sans attendre de réponse.

— Et maintenant, s'il te plaît, tu nous racontes tout, a dit maman tendrement.

Claire avait été attirée par Henri dès leur première rencontre à Athènes avec grand-mère. C'était son regard, sa façon de vous écouter, cette générosité qui émanait de lui. Le contraire de ce qu'elle avait vécu avec son coach, fourbe et calculateur. Elle éprouvait près de lui une fabuleuse impression de sécurité, un bien-être qui, de retour en France, lui avait beaucoup manqué. Et lorsqu'en septembre il avait débarqué à La Marette, son bonheur avait été tel qu'elle avait compris qu'elle l'aimait.

— C'est vrai que tu as toujours été une rapide, n'ai-je pu m'empêcher de plaisanter.

Et elle s'est tenu les côtes en me traitant de tortionnaire.

— Pourquoi ne nous avez-vous rien dit ? s'est étonnée maman.

– Déjà, on voulait être sûrs. Ça fait même pas trois mois qu'on se connaît… vraiment.

Elle a réprimé un rire :

– Et monsieur ne se jugeait pas digne de moi, un comble ! Trop jeune, trop belle, trop pure pour lui. Si je ne m'étais pas déclarée…

Elle a adressé à maman un regard vengeur :

– Et bien sûr que je veux le garder.

Le moment qu'a choisi l'infirmière pour revenir avec un brancardier poussant un lit roulant.

– La p'tite dame est prête ? a-t-il lancé.

Claire a levé les yeux au ciel.

La grande-p'tite dame !

Il était plus de 7 heures, nuit tombée. À la cafétéria où nous avions retrouvé papa, nous nous réconfortions avec une tasse de thé, pour lui un « panaché », rare. Il avait fait le nécessaire auprès du médecin qui s'occupait de Claire pour qu'une échographie soit pratiquée. J'ai pensé au gentil médecin-pompier. J'étais triste à l'idée de ne le revoir jamais.

Lorsque nous avions remis nos portables en marche, ça avait été une avalanche de messages, la Poison ne s'étant pas privée d'avertir la famille de la présence de Claire à l'hôpital. Bernadette avait proposé ses services ainsi que ceux de Stéphane, grand-mère avait ordonné à maman de lui dire toute la vérité, même le pire. Aucune nouvelle du principal intéressé, ouf !

Pour égayer l'atmosphère, papa nous a raconté la belle histoire de l'Hôtel-Dieu. Fondé par un évêque en l'an 651, il s'était d'abord appelé « Hôtel de Dieu ». On y recevait tous les miséreux de la capitale et ils étaient si nombreux que l'on devait coucher jusqu'à six malheureux dans le même lit, ce qui faisait dire que s'y trouvaient à la fois le malade, le mourant et le mort. Les étudiants en médecine venaient de nuit y dérober en douce des cadavres pour faciliter leurs études d'anatomie.

Vers 9 heures, nous sommes retournés voir où en était notre éclopée à nous. Sa porte était fermée et l'infirmière nous a indiqué qu'un médecin se trouvait près d'elle et qu'il nous faudrait patienter un peu.

Quelques instants plus tard, la porte s'ouvrait, livrant passage à Henri Vincent. Il nous a appris que Claire se portait bien, le bébé aussi. Puis, très ému, il s'est tourné vers papa et lui a demandé de bien vouloir lui accorder la main de sa fille aînée.

– 7 –

Au lycée, je n'avais jamais eu qu'une seule véritable amie : Béatrice. La plus brillante et aussi la plus libre, la plus audacieuse de la classe. Que des « bien » sur ses carnets scolaires, sauf en discipline, ce dont elle se glorifiait. Qu'elle m'ait choisie, moi son contraire, plutôt timide et réservée, me flattait et m'intriguait. Mais parfois j'en avais assez de ses vannes sur mon attachement à ma famille et son refrain préféré : « Sors de ton cocon, ton nid, prends le large, envole-toi, grandis » m'horripilait. J'avais vite renoncé à l'inviter à La Marette où, après une première visite, elle avait démoli tout le monde, même si chacun s'était efforcé de bien l'y accueillir.

Jusqu'au jour où j'avais compris que c'était justement ce cocon, ce nid, cette famille qu'elle n'avait pas eue et n'aurait jamais, la raison de son attachement à moi. Et que si j'avais suivi ses conseils et « pris le large », je l'aurais beaucoup déçue.

On prétend que l'on ne se fait de véritables amis que d'enfance : c'est faux ! Les vrais amis sont ceux avec lesquels vous partagez une même vision de la vie, les mêmes buts, affrontez

les mêmes épreuves, vous battez « ensemble », ce beau mot.
Et très vite, à la Sorbonne, je m'en étais fait plusieurs, filles
et garçons. Mais celle que je préférais, c'était Charlotte.

Nées à quelques heures l'une de l'autre, toutes deux
« Scorpion » – signe que l'on dit tourmenté –, nous visions
une licence de lettres et avions choisi « grec » et « initiation à
la peinture » comme options supplémentaires. Elle peignait,
comme moi j'écrivais, et nous nourrissions un même désir :
vivre un jour de notre passion. « Tu rêves », rigolait Béatrice.
Nous rêvions ensemble.

Les parents de Charlotte vivant dans le nord de la France,
elle partageait avec son ami, Hugo, étudiant en droit, un
studio au Quartier latin. De famille modeste, elle faisait du
baby-sitting pour n'avoir pas trop à leur demander. Et c'est
grâce à elle que j'avais découvert « Allô maman bobo », un
site qui me permettait à moi de gagner mon argent de poche
en consolant des bébés lorsque leur mère était de sortie. Il
arrivait que, libérée en pleine nuit, j'aille terminer celle-ci
chez Charlotte. Elle gonflait un matelas au pied du lit qu'elle
partageait avec Hugo et nous piquions d'inénarrables fous
rires.

Enfin, lorsque je l'avais emmenée à La Marette, elle avait
séduit tout le monde et en particulier la Poison, avec laquelle
elle avait eu un grand débat sur les divers avantages et incon-
vénients d'une famille nombreuse : réussite totale. Pauvre
Béa, si elle savait ! À mon tour de la plaindre.

Et bien sûr, ce lundi, lendemain de l'agression de Claire,
j'ai tout raconté à ma nouvelle amie. Lorsque je lui ai avoué
mon manque de courage, elle a soupiré :

– C'est ça, les Scorpion – eau et feu –, partagés entre le fleuve de la vie et la tourbière de la mort.

Elle m'a rappelé que Picasso appartenait à ce signe. Je lui ai révélé que Grace Kelly aussi. Nous avons ri : entre nous, tout est prétexte.

En attendant, il est midi et demi, le bistrot où nous avons nos habitudes est plein. Nous décidons d'en tester un autre, pourquoi pas celui-là, tout près, L'Escale ? Un coup d'œil au menu nous rassure : OK pour le budget. Nous entrons, nous installons au fond de la salle et commandons deux croque-monsieur-salade-limonade. Pour le dessert, nous verrons ça à la boulangerie-pâtisserie voisine.

Cet après-midi, nous avons deux heures de cours sur la peinture : le cubisme. Nous en discutons. Je n'adhère pas vraiment à ce mouvement. Face à une œuvre de Picasso, Braque, Dali, pour n'en citer que quelques-uns, je ne ressens aucune émotion. Je n'aimerais pas avoir l'un de leurs tableaux sur le mur de ma chambre, alors qu'un Van Gogh, un Manet, un Monet…

Charlotte rit.

– Cette émotion dont tu parles, des millions d'amateurs la ressentent devant *Guernica* de Picasso ou *La Girafe en feu* de Dali. Les admirer dès leur réveil les comblerait : une question de regard.

– Suggérerais-tu que je n'ai pas le bon ?

Et me voilà lancée sur l'un de mes sujets préférés : le don. Celui qu'a l'artiste de mettre la vie dans son œuvre, qu'il soit peintre, musicien ou écrivain. Vous regardez ce tableau, écoutez cette musique, lisez ces pages, et un sentiment de plénitude, de gratitude vous emplit. Vous êtes bien ! Vous êtes vous ! C'est ça, le créateur.

— Vous avez raison, mademoiselle.

Il se trouve à la table voisine, entouré de jeunes, l'air captivé. La trentaine, carré, massif, cheveux bruns en bataille, collier de barbe, yeux foncés. D'un seul coup, tous les regards se sont tournés vers moi qui ne sais que répondre.

— Et ce que vous savez certainement aussi, reprend mon interlocuteur, c'est que ce don, dont vous venez de si bien parler, n'est rien sans un travail de titan et que tout le travail du monde ne saurait le remplacer.

À son côté, une très jolie femme applaudit. Elle lui pose une question que je n'entends pas. Il se détourne de moi.

— Ne me dis pas que tu le connais ! souffle Charlotte.

— Mais non ! Qui est-ce ?

— Paul Démogée, l'essayiste. Il vient d'avoir un prix pour un livre sur Delacroix. On ne parle que de lui.

— Ah bon ? Jamais rien entendu.

Elle désigne la jeune femme avec laquelle la discussion se poursuit.

— Elle, c'est sa muse. Il paraît qu'ils ne se quittent pas.

À mon tour de sourire. À notre époque de robots, où l'on dialogue avec des machines et ne parle qu'intelligence artificielle, le mot « muse » m'apparaît comme une fleur rare, une espèce en voie de disparition. Je le fais remarquer à Charlotte qui acquiesce. « Un mot qui devrait plaire aux féministes », remarque-t-elle : sans masculin. Sans masculin, vraiment ? Tout en grignotant nos croque-monsieur, nous cherchons. Je propose : Pygmalion, le fameux sculpteur qui donna vie à l'une de ses œuvres.

Pourquoi pas ?

Mais voilà que, à la table de Paul Démogée, tout le monde se lève, la « muse » s'empare de son bras et, comme il s'ébranle, je découvre la canne sur laquelle il s'appuie : ours blessé ? Arrivé à ma hauteur, il s'arrête.

— Si vous voulez, mademoiselle, nous en reparlerons.

– 8 –

Hier, samedi 2 décembre, maman est allée avec Bernadette chercher le sapin de Noël chez le pépiniériste. Dès la 4×4 de retour dans la cour, M. Tavernier, notre voisin, qui depuis la mort de sa femme nous a adoptés, s'est précipité pour les aider. Ils l'ont monté sur le perron, enveloppé dans son plastique, avant de le planter bien droit dans le grand bac devant la fenêtre du salon. Ne restait qu'à recouvrir ses racines de bonne terre sans en mettre partout. Quand on a libéré ses branches, elles se sont déployées d'un seul coup comme des ailes. « Attention, il va s'envoler ! » a crié Cécile en refermant la fenêtre.

On a passé une bonne partie de l'après-midi à le décorer : guirlandes, boules irisées, oursons et, bien sûr, à sa cime, la belle étoile d'argent frôlant le plafond. L'opération terminée, chacun a déposé un soulier à son pied. Chez nous, on n'attend pas le soir du 24 décembre pour les remplir tous à la fois. On y va progressivement : presque un mois d'attente, de paris, de supputations, de gaîté.

Aujourd'hui, dimanche, j'ai décidé de procéder à un grand rangement de chambre. Pas en surface, en profondeur. J'ai toujours eu trop tendance à garder, conserver, entasser, au cas où. Au cas où quoi ? Ces vêtements dix fois trop petits pour moi, ces baskets usées jusqu'à la corde, ce déguisement de sorcière – Halloween –, je sais bien que je ne les remettrai jamais, alors ? Le refus de me détacher du passé ? Grandir ? J'ai tout rassemblé dans un sac que je confierai à maman. Elle en fera ce qu'elle voudra. Du moment que je ne le sais pas…

Après, je suis passée au plus difficile : mon bureau. Une antiquité qui mange une partie de ma chambre et une autre, encore plus grande, de mon cœur. Quatre profonds tiroirs remplis de ce que j'appelle mes « gammes » d'écrivain : ces carnets de notes avec plein de « bien » en français, dictée, récitation, rédaction. Cette dissertation qui m'avait valu un mémorable 18 sur 20. « On ne met jamais 20 parce qu'on peut toujours faire mieux », m'avait dit le prof ; quelle leçon ! Et aussi, venant de moi, ces bribes de poésie, ces histo-riettes qu'on appelle des « nouvelles », plus difficiles à écrire, paraît-il, qu'un roman. Toutes ces ébauches, ces ratés, ces envolées porteuses d'espoir.

« Sans le don, tout le travail du monde n'est rien », avait décrété Paul Démogée à L'Escale. Depuis, le doute m'emplit. Et si ce don, dont j'aime tant à parler, je ne l'avais pas ? Il me semble que toute ma vie est suspendue à la réponse.

Dans le tiroir du bas de mon bureau, celui qui ferme à clé et où, dans les romans policiers, on dissimule une arme, je garde tout ce qui m'est venu de Pierre : quelques lettres, des bouts de nappes en papier sur lesquels il s'amusait à m'en-voyer des messages, un portrait le représentant avec son frère aîné – le père de Béatrice –, un bracelet. Là non plus, rien à jeter.

Opération accomplie, tiroirs refermés, je me suis assise sur mon lit et j'ai regardé la photo du couple-témoin qui, chaque matin à mon réveil, me parle de nous. Combien de temps la garderais-je ? Même si j'ai renoncé à Pierre, l'enlever me paraîtrait comme une trahison. La jeter ? Impossible.

Claire va mieux. Encore quelques bleus jaunes sur son visage, mais les deux yeux larges ouverts. Henri et elle ont décidé de se marier – église-mairie – après la naissance. Un gros ventre dans une robe blanche, ça la ficherait mal. Pas du tout choquée, grand-mère pavoise : n'est-ce pas grâce à elle que ce bonheur va avoir lieu ? N'a-t-elle pas emmené Claire à Athènes et tout de suite perçu que le salut lui viendrait du médecin humanitaire pour lequel l'âme passe obligatoirement en premier ? Quant au bébé, depuis le temps qu'elle rêvait d'être « arrière » ! Elle projette de venir voir tout ça de plus près à Noël. On mettra les petits plats dans les grands.

En attendant, la Princesse s'est installée chez son prince charmant, à Pontoise, au dernier étage de sa « Maison des orphelins ». Lorsqu'elle a vidé sa chambre, ça m'a fait un coup. Je ne parviens pas à m'habituer au silence qui y règne. C'était si bien, les airs d'opéra mis plein pot, les cataractes dans les tuyaux quand elle prenait son bain, ses descentes royales d'escalier.

Et après Claire, ce sera Bernadette qui partira. Même si elle affirme qu'elle n'est pas pressée et que, tant qu'on n'a pas d'enfant, rien ne vous oblige à vivre sous le même toit. Ce qui ne plaît pas du tout à Hubert de Saint-Aimond, le père de Stéphane, très bourgeois-catho, vexé comme un pou du peu d'entrain de Bernadette à porter son nom à rallonge et qui insiste pour qu'ils régularisent. Stéphane en souffre. Et s'il se lassait ? Quoi qu'il en soit, sans Claire, la maison n'est plus tout à fait « la maison ». Alors, quand Bernadette se décidera, quel silence !

J'ai reproché à maman de m'avoir mal élevée. N'élève-t-on pas ses enfants dans le but de les aider à s'envoler ? En ce qui me concerne, c'est raté.

– À 19 ans, très peu savent quelle place ils souhaitent tenir dans leur vie, m'a-t-elle fait remarquer avec douceur. Quand ce sera fait pour toi, tout te paraîtra évident. Regarde tes sœurs : sa place, Bernadette l'a trouvée en défendant les arbres. Claire, c'est avec Henri, en s'occupant des orphelins. Tu as tout le temps, ma chérie. Je te fais confiance pour y parvenir.

« Confiance », mot phare. Merci, maman.

Et, trouver ma place, j'y œuvre à la Sorbonne.

Charlotte s'est renseignée sur Paul Démogée. Avec celle qu'à L'Escale elle avait appelée la « muse », il a créé une maison d'édition : L'Embellie. C'est là qu'il a publié son essai sur Eugène Delacroix, qui lui a valu le « prix de la Biographie ». Il se consacre plus particulièrement au secteur « Arts » et « Beaux Livres ». Sa patte folle ? Un accident. Il paraît qu'il vaut mieux ne pas lui en parler.

– Quand te décideras-tu à l'appeler ? s'impatiente-t-elle.

– Et sous quel prétexte ?

– Tu n'as pas besoin de prétexte, c'est lui qui a proposé de te revoir.

– Des paroles en l'air.

– Qu'en sais-tu ? Et toi qui rêves d'écrire, un « essayiste », ça devrait te brancher.

– Toi qui rêves de peindre : interviewer l'auteur d'un essai sur Delacroix encore plus.

Elle a fait semblant de s'évanouir.

– Hélas, c'est toi qu'il a choisie !

Comme ça, juste pour voir, j'ai cherché sur ma tablette la définition de « essayiste ». J'ai trouvé : « qui écrit des essais ». OK. Je suis passée à « essai ». Trois exemples étaient cités.

« Action faite sans être sûr du résultat. » Bof !

« Réfléchir entre plusieurs solutions. » Mieux.

« En rugby, marquer un essai : un but. »

Pour le but, d'accord.

– 9 –

Ce matin, à notre réveil, nous avons eu la surprise de trouver deux souliers supplémentaires au pied du sapin : une jolie bottine fleurie et une petite basket-dragon bleue à bandes blanches. Maman nous a appris que Claire les lui avait confiées. Elles appartiennent aux enfants d'Henri, Gisèle et Benoît, qui viendront déjeuner à la maison le jour de Noël après avoir passé le réveillon chez leurs grands-parents, où un sapin bien garni les attend.

– Deux sapins, deux fois plus de cadeaux, deux fois plus beaux... C'est comme pour les divorcés à l'école et ils ne s'en plaignent pas, a laissé tomber la Poison avec un soupir blasé.

– Vous les appelez vraiment « les divorcés », s'est étonnée maman.

– Ouais. Et les « mono » pour ceux qui n'ont qu'un seul parent.

– Je propose les « porteurs » pour les enfants de mères porteuses, a rigolé Bernadette.

– Eh bien, moi, je ne trouve pas ça drôle du tout, a remarqué papa. Croyez-moi, le plus beau cadeau pour un enfant, c'est d'avoir ses deux parents à la maison.

Parfois, un père vieux jeu, ça fait chaud au cœur.

Ce soir-là, de retour à La Marette, je trouve Cécile affalée sur le canapé du salon en face du sapin éteint, tête des mauvais jours. J'ai encore du remords de ne plus accomplir les trajets avec elle, même si elle y a gagné sa trottinette. Je m'assois près d'elle :

– Quelque chose qui ne va pas ?

– Tu ferais quoi, toi, si dans ta classe y'en avait un qui se faisait harceler ?

Le harcèlement, on en parle beaucoup depuis quelque temps : un bizutage cruel qui souvent se termine mal.

– Et qui est la victime ?

– Côme. Il faut reconnaître qu'il est affreux : les oreilles décollées, plein de boutons, appareil pour les dents. Et avec ça tout petit, des jambes de sauterelle, bref, la totale. Résultat, il se fait bouffer par les lions, tu vois ?

Je vois : Côme et Damien, saints et martyrs sous je ne sais plus quel empereur romain.

– Y'a vraiment des parents qui feraient mieux de réfléchir avant de donner un nom à leurs enfants, râle-t-elle.

– Et c'est qui, les lions ?

– Hubert et Jérémy, deux tarés qui jouent aux caïds. Ça a commencé quand Hubert a demandé à Côme pourquoi sa mère l'avait pas jeté à sa naissance en voyant qu'elle l'avait raté.

Un sourire m'échappe. La Poison m'assassine du regard.

– Et voilà, toi aussi ! Comme si c'était de sa faute s'il est affreux. Et depuis, ils le lâchent plus : « T'es qu'un boulet, un débris, une épluchure. On respirerait mieux si t'étais pas là ! » Mais le pire…

La voix de Cécile se casse. Il faut vraiment que ça soit grave.

– Le pire ?

– Ils ont mis une photo de lui sur Facebook. Si tu la voyais !

Je ne la verrai pas, du moins ce soir. Une portière claque dans la cour, la voix de maman retentit :

– Vous venez m'aider, les filles ?

– On y court. Elle sort de son coffre plusieurs paquets, nous les tend.

– C'est pour les souliers de nos invités.

– Arrivée au salon, elle s'immobilise :

– Mais qu'est-ce qui se passe ? Vous n'avez pas allumé le sapin.

Il se passe Côme. Le doigt sur ses lèvres, Cécile me foudroie :

– Chut ! »

Bien sûr, dès le lendemain, j'ai tout raconté à Charlotte à l'heure de la pause, dans la cour d'honneur de la Sorbonne. Elle a pris l'affaire très au sérieux. Le « cyber-harcèlement », le plus dangereux. L'une de ses amies en avait été victime. Pour se venger d'avoir été larguée, son ex petit ami avait mis des photos d'elle, dénudée, dans des positions suggestives, sur les réseaux sociaux. Elle vivait dans la terreur que ses parents, super-coincés, ne les découvrent et avait fini par avaler tous les comprimés de l'armoire à pharmacie.

– Pauline, il faut faire quelque chose, crois-moi. Encore une chance que Côme se soit confié à Cécile. En général, les victimes ne disent rien, elles ont trop honte. Elles s'enferment, se bouclent dans leur solitude, même les plus proches ne se doutent de rien… avant qu'il ne soit trop tard.

– C'était ton amie ?

Elle incline la tête.

– Oui. Et personne n'a su l'entendre. Même moi.

Je bois une gorgée de café tiédasse dans un gobelet en plastique. Malgré le froid, nous sommes nombreux dans la cour : blousons à col de fourrure de rigueur. Je revois le doigt de la Poison sur ses lèvres. J'entends son « chut » farouche à l'arrivée de maman.

– Cécile m'a demandé le secret.

– Je ne pense pas qu'elle t'en voudra de m'avoir parlé. Rappelle-toi : on s'est plutôt bien entendues quand tu m'as invitée chez toi.

Et même mieux que bien.

– Et si on allait la chercher demain à son collège et qu'on l'emmenait déjeuner quelque part ? propose Charlotte, décidément concernée. Je me charge de l'appeler.

C'est OK pour moi. Cécile sera libre de refuser ; avant de me passer un savon pour trahison ?

Ce même jeudi, Mme Garcia, notre prof de lettres, nous a demandé, dans le cadre des travaux pratiques, d'interviewer un artiste de notre choix, l'interroger sur son art, sa vie, sa carrière : à nous de trouver les bonnes questions. Notre copie devra lui être rendue après les fêtes, ce qui nous laisse le temps d'écrire un chef-d'œuvre, a-t-elle ajouté. J'aime beaucoup Mme Garcia : elle ne cesse de nous dire « osez » !

J'ai pensé à Paul Démogée et, bien entendu, Charlotte a approuvé. Cette fois, j'ai formé le numéro de L'Embellie, la maison d'édition où il travaille. Une voix féminine m'a répondu : « De la part de qui ? » Et je me suis trouvée comme une idiote : Paul Démogée ne connaissait même pas mon nom.

J'ai bredouillé en me sentant ridicule :

– Je m'appelle Pauline Moreau, pouvez-vous lui dire que nous nous sommes rencontrés l'autre jour à L'Escale ?

– Veuillez patienter.

Et s'il ne se souvenait pas de moi ?

– Alors, vous vous appelez Pauline ! a constaté la voix masculine au téléphone. Paul... Pauline, j'aurais dû m'en douter.

Il ne m'a pas demandé pour quelle raison je l'appelais, il m'a donné rendez-vous après-demain, vendredi, à 15 heures, à L'Embellie. Tant pis pour le cours de grec, j'ai accepté.

– Eh bien, voilà, pas plus difficile que ça, a constaté Charlotte ravie. Et pendant ce temps, moi, j'ai eu Cécile. C'est OK pour le déjeuner de demain.

« J'y pense et puis j'oublie », les paroles de la chanson de Jacques Dutronc me tournent dans la tête. Durant un moment, j'ai totalement oublié un grand-petit garçon en danger.

– 10 –

Ce café, à deux pas du collège de Cécile et de mon ancien lycée, je le connais par cœur. Nous y avions nos habitudes avec Béatrice. C'est sur l'une de ces banquettes en simili cuir craquelé qu'après le bac elle avait tenté en vain de me convaincre de faire la même école de journalisme qu'elle. Et, face à mon refus, ma décision de m'inscrire en lettres à la Sorbonne, elle m'avait traitée de lâcheuse. Elle habite tout près, et si elle me surprenait ici avec sa « remplaçante » ? Je ne remplace pas, Béa, j'ajoute.

Nous nous sommes installées à une table un peu isolée. Apparemment, Cécile ne m'en veut pas d'avoir parlé de Côme à Charlotte, ouf ! Mais elle est comme une pile électrique et, quand nous lui avons dit que nous l'invitions, elle a déclaré qu'elle n'avait pas faim et se contenterait de deux œufs mayonnaise-Coca. Idem pour nous : solidarité !

— Vas-y, raconte, l'encourage Charlotte, la commande passée.

Cécile lui répète d'une voix tendue ce qu'elle m'a confié mardi : la laideur de Côme et les insupportables moqueries d'Hubert et de Jérémy. Elle y ajoute quelques fioritures genre :

« Ton père a pas fait un procès à ta mère pour mal-façon ? »
Ou bien : « Les épluchures, ça se jette. » Jamais ne viendrait
à Charlotte l'idée de sourire. Mains croisées sous le menton,
elle écoute la Poison de toutes ses forces, tout son cœur. Que
s'est-il passé entre ces deux-là pour qu'immédiatement elles se
soient accordées si bien ? Rien d'un coup de foudre, ni éclairs ni
tonnerre : une rencontre paisible, naturelle, évidente.

— C'est quand ils l'ont mis sur Facebook que je me suis dit
que c'était plus possible, que ça allait finir mal, grommelle
Cécile.

Elle allume son portable, pianote, le fait glisser devant nous.
Nous avons un même réflexe de recul. Courbé en deux, nu, un
garçon terrorisé tente de cacher son sexe de ses mains. Torse
étroit, bras et jambes maigrichons, cheveux dégoulinants sur son
visage ingrat : une image insupportable.

— Ils ont pris la photo au stade, le jour de la gym, explique
la Poison. Ils avaient caché ses vêtements pendant qu'il se dou-
chait. Et après, ils l'ont mise sur Facebook. Vous imaginez le
carnage. Des milliers de « like » envoyés par des minables qui
en redemandaient.

— Pardon, mesdemoiselles.

Le garçon pose nos assiettes devant nous : œufs mayonnaise,
pain, Coca.

— Bon appétit !

— Déjà, j'étais pas d'accord, là j'ai plus hésité, continue Cécile
en récupérant son portable. J'ai dit à Côme que j'étais dans son
camp, même si le pauvre a pas de camp. Au début, il s'est méfié,
maintenant il me raconte tout, ça lui fait trop de bien, même
s'il pleure.

— Et les autres ? s'enquiert Charlotte.

CHAPITRE 10

— C'est les filles les plus enragées, s'indigne la Poison. Comme si elles voulaient montrer aux garçons qu'elles en ont – tu vois de quoi je parle ! Le reste de la classe se planque : trop peur d'y avoir droit aussi.

Je demande :

— Et toi, tu n'as pas peur ?

— Elle relève le menton :

— Moi, ça risque rien, j'ai papa.

— Comme elle l'a dit ! Comme il serait fier !

— Et Côme, son père, il l'a pas ? interroge Charlotte.

— Il est militaire. Il arrête pas de lui rabâcher qu'un homme, ça doit se défendre. Comme s'il était de taille.

— Sa mère ?

— À la maison. Elle s'occupe de Lucie, sa petite sœur, en primaire dans le même bahut.

Nous attaquons nos œufs. Cécile commence par vider la moitié de son verre de Coca. J'ai un peu honte d'avoir faim.

— En plus, ils le rançonnent, reprend-elle. Pas de grosses sommes, mais quand même. Tout son mois y passe. S'il paie pas, ils menacent d'envoyer la photo à son père. Il en dort plus.

— Tu n'as pas pensé à en parler à un prof ? Au principal ?

— Ils lui ont dit que, s'il caftait, ils s'en prendraient à sa petite sœur…

Alors, pas d'issue ? Ma poitrine se serre : pauvre Côme. Cécile émiette ses œufs dans son assiette. Elle a terminé son Coca. Charlotte fait l'échange avec son verre plein. Autour de nous les gens déjeunent tranquillement : un bon moment. Comment réagiraient-ils s'ils savaient ? Nous proposeraient-ils leur aide ou détourneraient-ils les yeux comme pour Claire ? Parfois, je trouve la vie vraiment trop moche.

– Il faut avertir ses parents, décide Charlotte. C'est la seule solution.

– Mais non, c'est pas possible, c'est justement ça qui lui fait peur ! s'écrie Cécile.

Charlotte se penche vers elle :

– Alors, on fait quoi ? On bouge pas ? On les laisse le massacrer ?

La Poison se renfrogne. J'interviens :

– Et si on appelait sa mère ? Je suis sûre qu'elle comprendra mieux.

– Et son numéro ? Je le trouve où ? Si tu crois que Côme me le donnera.

– Tu le demandes à sa petite sœur. Si j'ai bien compris, elle est dans la même école que toi.

Partagée entre le refus de trahir son ami et sa peur pour lui, la Poison hésite. Charlotte me regarde comme si elle me demandait pardon d'avoir pris la direction des opérations. Je revois la photo, j'incline la tête.

– C'est d'accord, se rend Cécile.

– Dès que tu as quelque chose, tu me préviens. Je m'occupe de tout, conclut Charlotte.

Cours de grec à 14 heures à la Sorbonne, nous nous sommes séparées rapidement.

– C'est bien demain que tu as rendez-vous avec ton essayiste ? m'a demandé Charlotte dans le métro.

Comme si elle ne connaissait pas la réponse ! Je ne lui ai pas dit que j'avais acheté ce matin un nouveau cahier à spirale sur lequel, plus tard, j'inscrirais les questions à poser à « mon » essayiste. Une brève joie m'a traversée.

J'y pense et puis j'oublie ?

J'avais imaginé un imposant immeuble en pierres de taille, c'était un modeste bâtiment de deux étages donnant sur une petite place avec trois arbres et une fontaine. Finalement, L'Embellie, ça lui allait bien. Un pâle soleil de décembre l'éclairait quand j'ai poussé la porte. Assise derrière une sorte de comptoir sur lequel s'empilaient une dizaine de larges enveloppes gonflées, une femme sans âge, au visage sévère, a levé le nez.

– Vous désirez ?

Je me suis efforcée d'assurer ma voix.

– J'ai rendez-vous avec M. Paul Démogée.

– De la part de qui ?

– Pauline Moreau.

– Une minute s'il vous plaît.

Elle a pianoté sur les touches de son téléphone. Alors que j'avais attendu ce moment avec impatience, je me sentais en pleine irréalité : tout ça à cause d'une simple réflexion sur le don du créateur, dans un café voisin.

– On va venir vous chercher.

Au point où j'en étais, j'ai désigné la colline d'enveloppes sur le comptoir :

— Des manuscrits ?

— La récolte du jour, a-t-elle répondu.

Et encore, nous ne sommes qu'une petite maison d'édition. Il paraît que, dans les grandes, ils en reçoivent quotidiennement une centaine.

Elle a soupiré.

Comment voulez-vous lire tout ça ?

Moi, je voyais des heures et des heures de travail, d'efforts, de joie, d'espoir… pour « tout ça ». Pour rien ?

— Mademoiselle ?

La femme qui venait vers moi était Élisabeth, la « muse » et patronne des lieux avec Paul Démogée. Nous nous sommes serré la main et elle m'a entraînée dans un long couloir aux murs tapissés de solennels portraits en noir et blanc, représentant des peintres et des écrivains parmi lesquels j'ai reconnu Balzac, Zola, Paul Gauguin et ses vahinés, Vincent Van Gogh et ses tournesols… entre autres. Parvenue au bout du couloir, elle a frappé à une porte et elle est entrée sans attendre de réponse.

— Bonjour, Pauline.

J'ai reconnu, assis à son bureau, l'homme à forte carrure, regard sombre et collier de barbe, rencontré à L'Escale. Il s'est levé et, négligeant la canne posée en travers d'une chaise, il a fait le tour du bureau en s'appuyant sur le bord.

— Tu peux nous laisser, ma chérie, a-t-il dit à Élisabeth. Et à moi, me désignant un fauteuil : Prenez place.

J'ai retiré mon blouson et l'ai mis sur le dossier, la « muse » a disparu. Plutôt que de retourner derrière son bureau, Paul

Démogée s'est assis sur un fauteuil près du mien et, même si ça n'avait rien à voir, ça m'a rappelé un soir d'hiver où j'étais allée voir papa à son cabinet pour lui confier mes peines de cœur. Les yeux fixés sur moi, il gardait le silence. Intimidée, j'ai sorti de ma sacoche le cahier à spirale et mon stylo.

— Un interrogatoire ? a-t-il demandé avec un sourire.

— Une interview. Notre professeur de lettres, à la Sorbonne, nous a demandé d'interroger un artiste. J'ai pensé à vous.

Une lumière amusée est passée dans son regard.

— Et qu'est-ce qui vous donne à penser que je suis un artiste ?

— Charlotte, mon amie, m'a dit que vous aviez écrit un essai sur Delacroix, ai-je répondu, déstabilisée.

— Charlotte ne s'est pas trompée, j'ai en effet commis un essai sur ce peintre, mais cela ne fait pas de moi pour autant un artiste. Je n'ai pas ce don dont vous parliez l'autre jour. Je ne suis qu'un simple intermédiaire, un « passeur de beauté », si cela ne vous paraît pas prétentieux.

Un simple intermédiaire ? Un passeur ? La déception m'a emplie. Toutes les questions que j'avais préparées s'adressaient au créateur. Accepterait-il seulement d'y répondre ? J'en ai voulu à Charlotte d'avoir tant insisté pour que je le rencontre.

Il a désigné mon cahier.

— Mais allez-y, on verra bien, a-t-il dit comme s'il lisait dans mes pensées.

Sur la place, une moto est passée, faisant trembler les vitres. Signe d'orage ? J'ai toujours eu trop tendance à voir des signes partout, des messages, des clins d'œil du destin.

J'ai ouvert mon cahier et pris mon stylo. Je m'entendais poser mes questions en hésitant, comme une élève hors sujet : « Comment vous est venu le goût de la peinture ? » « Peignez-vous vous-même ? » « Quelle place tient l'art dans votre vie ? » « Vous arrive-t-il de douter ? » Et, par moments, il me semblait parler davantage de moi que de lui.

Les réponses de Paul Démogée étaient simples, précises. Don ou non, il employait les bons mots. Et lorsqu'il a évoqué la blessure que tout artiste porte nécessairement en lui, j'ai été émue. Et déroutée lorsqu'à ma question : « Peignez-vous ? », il a répondu d'une voix faussement détachée : « Cela m'est arrivé autrefois. » Et je n'ai pas osé lui demander pour quelle raison il avait arrêté.

Il avait découvert Eugène Delacroix très jeune. Il en parlait comme de celui qui avait aidé le pré-ado perdu et solitaire qu'il était à canaliser ses sentiments en lui ouvrant les portes de l'art, un art flamboyant et poétique, fait d'ombre et de lumière, un univers où il se sentait à sa place. Et comme il prononçait ces mots, sa voix était si intense que j'osais à peine écrire, de peur qu'il ne s'arrête.

Au-dessus de son bureau, il y avait un tableau qui représentait, dans une plaine, un désert. Un arbre immense, ou plutôt une tige, coiffée d'un toupet de feuilles, s'élançant à l'assaut du ciel, un ciel bleu nuit où l'on distinguait comme une poussière d'étoiles. Plus bas, à son pied, se pelotonnaient de gros arbres au feuillage touffu, arrondi, comme des chats repus. Et dans cette tige, cet élan, je ne sais pourquoi, je l'ai vu, lui. Et ma dernière question a été pour l'interroger sur ce que ce tableau représentait pour lui.

Il m'a souri.

– C'est un tableau de René Magritte. Connaissez-vous ce peintre ?

– Un peu. Mais je n'avais encore jamais vu cette toile-là.

– Et que vous raconte-t-elle, Pauline ?

– Un élan, une fragilité, un espoir, peut-être ?

– Tout cela, a-t-il approuvé. Et aussi la souffrance, la solitude…

Et j'ai su que je ne m'étais pas trompée : il était dans cet élan, cette souffrance.

– Savez-vous que René Magritte a accompli la totalité de son œuvre à Jette, sa ville natale, en Belgique, a-t-il repris. Il ne l'a pratiquement jamais quittée, nous offrant en quelque sorte ses paysages intérieurs.

– Mais non, je ne le savais pas. Ses paysages intérieurs… C'est si beau.

Le téléphone, sonnant sur son bureau, nous a interrompus. Il s'est levé et s'est éloigné pour répondre. Une pause, ça m'allait. Je me sentais perdue, entraînée malgré moi dans un tourbillon d'émotions, de « sensations », aurait dit Cécile. La sensation d'être en plein dans la « chair de la vie », comme disait le célèbre violoniste Isaac Stern pour décrire le bouleversement qu'il éprouvait en jouant ; sa certitude alors d'être au cœur de l'homme, sa force et sa fragilité, le géant et le nain.

– C'est entendu, Élisabeth, à ta disposition.

Il a raccroché et il est revenu vers moi. Son visage était plus calme. Il a désigné mon cahier.

– Pour en terminer avec Eugène Delacroix, une chose devrait vous intéresser, Pauline. Avant d'opter pour la peinture, l'écriture l'avait attiré. Et il affirmait vouloir mettre la musique dans ses couleurs. Très exactement ce que vous exprimiez l'autre jour dans ce café : « Peinture, écriture, musique, même combat. »

Un bref bonheur m'a traversée : alors, c'était pour ces mots qu'il m'avait remarquée ? Pour ce combat que j'aspirais à mener sans savoir vraiment comment ? Ce coup d'archet à l'aide duquel je me dirais, moi. J'ai entendu ma voix comme celle d'une autre.

— Depuis toujours, je rêve d'écrire, je ne vois pas ma vie autrement. Moi, c'est Victor Hugo et Alexandre Dumas qui m'ont donné l'élan. Mais depuis que l'autre jour, à L'Escale, vous avez dit que tout le travail du monde n'était rien sans le don, j'ai peur de ne pas l'avoir, alors qu'avant je n'avais jamais douté.

Ma voix s'est cassée, j'ai senti les larmes monter. Bravo ! J'étais en train de me ridiculiser.

Paul Démogée s'est penché sur moi. Il a pris ma main dans sa patte : un ours, oui. Allait-il tenter de me consoler ? Me traiter comme une gamine ? Je ne le supporterais pas.

— Quand vous écrivez, Pauline, vous arrive-t-il d'éprouver une hâte ?

— Bien sûr ! Tout le temps !

J'ai essayé de rire :

— Et quand je me relis, j'ai parfois la chair de poule.

— Alors, vous êtes bien partie. Ne vous reste qu'à vous mettre sérieusement à l'ouvrage.

Il a prononcé ces mots et je me suis sentie bien. Et j'ai eu envie de bondir, crier, y aller, y courir, vite !

Mais voilà qu'il se levait, attrapait sa canne, se dirigeait vers sa bibliothèque. Cahier à spirale dans ma sacoche, blouson sur le dos, je l'ai rejoint. Il m'a tendu un livre.

– Je vous le signerai quand vous l'aurez lu. À propos, pourrez-vous laisser vos coordonnées au cerbère de l'accueil ?

Un beau portrait de Delacroix ornait la couverture de son essai. Comme nous arrivions à la porte, il a désigné à nouveau le tableau de René Magritte.

– Savez-vous comment il s'appelle ? *Les Grandes Espérances*. Cela vous convient ?

Tandis que je remontais le boulevard Saint-Michel, où, autour des arbres dénudés par l'hiver, s'enroulaient les premières guirlandes de Noël, c'étaient les vers d'Alfred de Musset qui tournaient dans ma tête : « Les chants les plus désespérés sont les chants les plus beaux. » La douleur sur le visage de Paul Démogée, sa souffrance en évoquant le sentiment d'urgence de l'artiste, témoignaient que le « don » était bien en lui. Pourquoi s'en défendait-il si âprement ?

– 12 –

Aucune voiture dans la cour : parents pas encore rentrés.
Je n'ai même pas le temps de retirer mon blouson que Cécile
me tombe dessus.

– Viens vite, il est dans ma chambre.

Qui, « il » ? D'abord je ne comprends pas.

– Je vais t'expliquer, on monte.

Là-haut sa porte est fermée, elle met un doigt sur ses
lèvres : « Chut », ouvre la mienne et s'affale sur mon lit. Ça
y est, j'y suis : Côme. Elle a ramené Côme à la maison !

– Cette fois, c'est la cata ! Comme il avait pas le fric,
Hubert lui a juré que son père recevrait la photo ce soir. En
plus, il l'a menacé de s'en prendre à Lucie, sa petite sœur. J'ai
eu peur qu'il fasse une bêtise alors je l'ai ramené ici.

– Et ses parents, Cécile ? Tu as pensé à ses parents ?
Qu'est-ce qu'ils diront en ne le trouvant pas chez eux ?

– Ça leur apprendra à fermer les yeux. Et sa mère comprendra ! Je l'ai appelée et je lui ai déballé tout le paquet.
Enfin presque...

À mon tour de m'effondrer sur le lit :

— Tu as parlé à sa mère ?

— Monique, la petite sœur, m'a donné le numéro de la maison.

— Je croyais que c'était Charlotte qui devait, s'en charger ?

— J'étais quand même la mieux placée, non ?

— Et qu'est-ce qu'elle a dit ?

— Elle a surtout pleuré : je crois qu'elle se doutait. Elle m'a promis-juré de tout raconter ce soir à son mari.

J'éprouve malgré tout un soulagement.

— Alors sa mère sait qu'il est ici !

— Mais non, ça, c'était à midi, avant qu'Hubert l'achève. Je l'avais pas encore enlevé.

« Enlevé », rien que ça. Et soudain j'en veux à Charlotte. Elle a tout mélangé : Côme, son amie. Voilà le résultat.

— Charlotte m'a dit que j'avais bien fait, dit la Poison, devançant ma question. Faut que tu la rappelles.

Dans sa chambre, un bruit, elle saute du lit, se rue vers la porte :

— Tu nous rejoins quand t'as fini.

J'ai commencé par sortir le cahier à spirale de ma sacoche. J'entendais la voix de Paul Démogée : « Il ne vous reste qu'à vous mettre sérieusement à l'ouvrage. » C'était si bien, c'était si loin ! J'ai revu son regard attentif sur moi : « Lorsque vous écrivez, avez-vous l'impression de mettre votre vie en jeu ? » Prononce-t-on de telles paroles sans avoir, soi-même, éprouvé cette urgence ? Oserais-je un jour lui demander pourquoi il avait arrêté de peindre ? J'ai rangé le cahier dans le second tiroir de mon bureau avec mes « gammes » d'écrivain, toutes ces tentatives, ces ébauches, ces élans. Oui, il était temps ! J'ai mis l'essai sur Delacroix sur ma table de nuit. « Je vous le signerai lorsque vous l'aurez lu. » Cela signifiait que nous nous reverrions.

Charlotte a répondu tout de suite. Et confirmé. Cécile avait bien fait de ramener Côme à la maison : il était en danger. Elle m'a conseillé d'en parler à papa, il saurait prendre la bonne décision. « Veux-tu que je vienne ? » a-t-elle proposé. J'ai répondu froidement « pas pour l'instant, puis je suis passée chez la Poison.

Recroquevillé sur le lit, le grand-petit garçon me regardait d'un air perdu. Ce n'était pas sa maigreur, sa laideur, ces oreilles décollées, ces boutons d'acné, ce menton pointu, qui vous dévastaient, c'était, sur son visage, cet abandon, cette résignation, comme s'il avait perdu toute estime de lui-même et donnait raison à ses bourreaux. Et son regard exprimait une telle détresse que l'on n'avait qu'un seul désir : le prendre dans ses bras, le protéger, lui promettre que désormais plus personne ne s'attaquerait à lui. J'ai regretté d'en avoir voulu à Charlotte : oui, Cécile avait fait ce qu'il fallait.

Je me suis approchée et, sans lui demander son avis, j'ai appuyé mes lèvres sur son front :

– Ça va aller.

Cécile m'a regardée avec reconnaissance avant de s'adresser à lui.

– Tu vois, Côme, c'est Pauline, je t'en ai parlé : la porte à côté. Et il y a aussi Claire et Bernadette, je te les présenterai. Si, avec nous toutes, tu t'en sors pas !

Quand elle a prononcé le nom de Claire, j'ai pensé à son compagnon, Henri Vincent. Son boulot n'était-il pas de s'occuper d'enfants en danger ? Je me suis promis de l'appeler. Mais voilà que, au rez-de-chaussée, des portes claquaient, les voix des parents retentissaient. Il leur arrive de rentrer en même temps, surtout aux abords de Noël.

Cécile s'est levée.

– On va te laisser un petit moment. Surtout tu bouges pas. Et n'oublie pas : on t'aime.

Des mots de mère.

Au pied du sapin, maman trifouillait du côté des souliers. Calé dans son fauteuil préféré, papa avait déployé son journal. La Poison s'est plantée devant lui.

– Papa, on a besoin de toi, faut que tu nous aides !

– Ah, ah, une urgence ? a-t-il plaisanté en baissant son journal.

Devant le visage de Cécile, son sourire s'est effacé.

– Le cyber-harcèlement, tu connais ? lui a-t-elle lancé.

– Bien sûr. Tout le monde en parle.

– Alors, tu sais que ça peut tuer ?

– Explique-toi, ma chérie, a ordonné papa en se redressant tandis que maman s'approchait, me fixant d'un air interrogateur.

– C'est un garçon de ma classe, Côme. Si on se bouge pas, et en vitesse, les salauds auront sa peau.

Sans hésiter, papa s'est levé. Il garde toujours les clés de sa voiture dans sa poche en cas d'urgence. Il les a sorties.

– On va le chercher. Tu me raconteras tout ça en chemin. Où est-il ?

Comme une lumière est passée dans le regard de la Poison. Elle a levé le doigt :

– Là-haut, dans ma chambre.

– 13 –

Oui, Monique Dupuis s'inquiétait au sujet de son fils. Malgré tous ses efforts pour donner le change, elle voyait bien qu'il était malheureux à l'école et hélas ce n'était pas nouveau. Les enfants ont vite fait de repérer le plus fragile, celui incapable de se défendre, afin de l'écarter. Et la petite taille de Côme, son physique ingrat, sa tendance à se replier sur lui-même en avaient fait, depuis des années le souffre-douleur de ses camarades, si on pouvait appeler ainsi ceux qui s'attaquaient à lui. Depuis septembre, son entrée au collège, les choses s'étaient visiblement aggravées. Sitôt de retour à la maison, il courait s'enfermer dans sa chambre avec son portable et seule Lucie y était admise, sa petite sœur, elle, du vif-argent, le cœur sur la main, et qui donnait à Monique et à son mari toute satisfaction.

Lorsqu'elle parlait à ce dernier des difficultés que leur fils rencontrait à l'école, sa réponse ne variait pas : « Ce n'est pas en le surprotégeant que tu l'aideras à devenir un homme : il doit apprendre à se défendre. » Certains enfants ont moins d'énergie vitale que d'autres, se défendre, Côme n'en avait jamais été capable. Et depuis quelques semaines, souci supplémentaire, Monique avait constaté que des billets disparaissaient de son porte-monnaie. Pas de grosses sommes, mais quand même… Elle était certaine de l'honnêteté de l'employée de maison, Lucie était incapable de mentir, qui d'autre que Côme ? Et pour quoi faire, lui qui ne sortait jamais, faute d'amis ?

Certains psys affirment qu'un enfant qui vole est un enfant en quête d'amour. Mais, de l'amour, Monique lui en donnait autant qu'elle pouvait et, même s'il était trop peu présent, Victor, son père, aussi. Redoutant la réaction de celui-ci, elle avait évité de lui parler des « emprunts » de leur fils et, pour ne pas humilier Côme, elle s'était contentée de ne plus mettre que des pièces dans son porte-monnaie.

Et voilà que ce vendredi matin, à l'heure du déjeuner, l'appel d'une de ses camarades de classe l'avait bouleversée. Elle lui avait révélé les sévices dont Côme était victime à l'école, exercés par des « brutes » qui le rançonnaient. Ils avaient pris de lui une photo compromettante et le faisaient chanter en le menaçant de l'envoyer à son père s'il ne « raquait pas ». « Attention, il est en danger. Si vous ne faites rien, le pire peut arriver. »

Monique avait promis d'en parler très vite à son mari et la petite avait raccroché, sans même donner son nom.

Et si elle appelait Victor sur-le-champ ? Mais comment lui asséner de telles horreurs par téléphone sans même savoir s'il était seul ? Ce soir, dès son retour, elle lui dirait tout.

« Moi, ça risque rien, j'ai papa », avait répliqué Cécile quand je lui avais demandé si Hubert et Jérémy lui faisaient peur. Il s'est montré à la hauteur. Sans penser une seule seconde à lui reprocher d'avoir ramené Côme à la maison, il s'est mis à sa disposition : qu'attendait-elle de lui ?

— D'abord, faut que tu voies ça, a déclaré Cécile en sortant son portable en et lui mettant la photo sous le nez.

Papa s'est figé.

— Oh mon Dieu, non ! s'est exclamée maman près de lui.

Je me suis félicitée que Bernadette ne soit pas là. C'est sûr qu'elle, on l'aurait entendue ! Et il y a des moments où seul le silence est de mise.

— Et maintenant, on monte ! a ordonné Cécile.

J'ai suivi. Maman, non.

Découvrant papa avec nous, Côme a poussé un cri d'oiseau. Papa a attrapé une chaise, l'a placée à côté du lit, s'est carré dessus.

— Je te demande de m'écouter, mon garçon. À partir de cet instant, tu es sous ma protection. Plus personne ne te fera du mal.

C'est le « mon garçon » qui a emporté le morceau, même si ça a pris un certain temps avant que Côme accepte que Cécile appelle sa mère pour la rassurer. Elle a formé le numéro que Lucie lui avait donné, mais personne n'a répondu. De mon côté, j'ai cherché à joindre Henri Vincent : également absent. On se débrouillerait sans eux.

L'opération suivante a été de convaincre Côme de descendre à la salle à manger, où maman nous attendait pour dîner. Lorsqu'il est apparu à la porte, elle est venue tout naturellement vers lui et l'a embrassé sur le front.

— As-tu faim, au moins ?

— Il a pas déjeuné, a répondu Cécile pour lui.

Alors maman a pris sa grosse voix :

— Eh bien, compte sur nous pour te remplumer.

— Et le « sans-plumes » a accepté de s'asseoir à table entre elle et Cécile.

Ça tombait bien, c'était jour de soupe à l'oignon gratinée et, quand maman l'a servi en mettant la moitié du gratin dans son assiette, personne n'a protesté.

On s'apprêtait à attaquer le dessert, yaourts et crèmes variées, quand on a sonné à la porte. On s'est regardés : qui ? Très probablement Bernadette, qui n'a pas la patience de chercher ses clés dans son sac… À moins qu'elle ne les oublie ici ou là. Comme personne ne bougeait, je me suis sacrifiée.

Sur le palier se tenaient deux gendarmes : un avec des cheveux blancs et plein de décorations sur la poitrine. Et un jeune sans rien. Le plus âgé m'a souri.

— Ton père est-il là ? Nous avons à lui parler.

Je reste paralysée, incapable de prononcer un mot : Côme,
bien sûr ! C'est pour lui qu'ils sont venus. D'un pas décidé, ils
pénètrent tout à fait dans l'entrée.

– S'il vous plaît, restez là, je vais le chercher.

Je traverse le salon en courant, passe la tête dans la salle à
manger :

– Papa, c'est pour toi, tu peux venir ?

Ma voix est catastrophique, le regard de Cécile m'interroge, je me détourne. Papa pose tranquillement sa serviette
sur la table et me suis sans en demander davantage, refermant
la porte derrière lui.

Découvrant les gendarmes à l'entrée du salon, il marque un
arrêt. Avant de se diriger vers celui aux cheveux blancs.

– Capitaine Bertrand, s'il vous plaît, entrez. Que puis-je
faire pour vous ?

Ils se connaissent ! Je respire mieux. Les voilà au milieu du
salon. Le capitaine entend-il la voix de maman dans la salle à
manger ? Le rire de la Poison ?

– Merci, docteur. Puis-je savoir si votre fille Cécile est là ? J'aurais quelques questions à lui poser.

– Mais bien sûr, elle est là ! Comme tous les soirs, répond papa. Est-il possible d'en savoir plus ?

– Il s'agit d'un de ses camarades de classe à Paris : Côme Dupuis, répond le capitaine. Un garçon fragile… À l'heure actuelle, il n'a toujours pas regagné son domicile ni donné de nouvelles à ses parents. Son père a alerté la police et une brève enquête à son collège a permis de déterminer qu'on l'avait vu quitter le collège à 17 heures avec votre fille. D'où notre présence ici.

– Côme Dupuis est bien là, déclare papa sans hésiter. Vous avez parlé de fragilité ? Craignant à juste titre un geste désespéré de sa part, Cécile nous l'a ramené.

« À juste titre »… Papa se solidarise avec Cécile, j'admire. Le visage du capitaine s'est éclairé. Il fait signe à son équipier :

– Jules, peux-tu appeler la caserne et transmettre la bonne nouvelle ? Le petit a été retrouvé.

Jules s'éloigne.

– Avant d'aller chercher ma fille, puis-je vous dire deux mots de la situation ? demande papa au capitaine.

– Je vous écoute, docteur.

Tandis qu'ils parlent, je tends l'oreille vers la salle à manger. On n'entend plus rien. J'imagine tous les regards fixés sur la porte. Je revois Côme, son effroi, son air traqué. Mon Dieu, comment réagira-t-il en voyant les gendarmes ? Ne croira-t-il pas qu'on l'a trahi ? Et alors que je cherche désespérément une solution, la porte s'ouvre et Cécile apparaît.

– PAPA !

CHAPITRE 14

Elle l'a crié. Et à présent, la porte claquée, elle s'y appuie, bras tendus comme pour défier quiconque de passer. En trois enjambées, papa est près d'elle.

— N'aie pas peur, ma chérie. Ils ne feront aucun mal à ton ami. Ils sont là pour l'aider.

Le capitaine les rejoint. Cécile se tourne vers lui.

— Vous allez pas nous le prendre, quand même !

Dans sa voix, du reproche, du défi. Le désespoir ?

Le gendarme lève les deux mains comme pour se rendre.

— Rassure-toi, petite. Pour l'instant, nous souhaitons seulement lui poser quelques questions.

— Pas la peine. Il vous répondra pas.

— Jusqu'ici, je ne l'ai pas entendu prononcer un seul mot, confirme papa.

Il se tourne vers Cécile :

— Si tu montrais au capitaine cette foutue photo ?

ajoute-t-il avec colère.

Un instant, j'ai peur qu'elle refuse. Mais non. Elle sort son portable et brandit la « foutue photo » sous les yeux du gendarme, dont le visage s'empourpre. À mon avis, il doit avoir des enfants.

— Merci Cécile. Voilà qui sera d'une grande utilité aux enquêteurs. J'espère que tu accepteras de nous la communiquer.

— C'est OK, répond-elle simplement.

Il lui sourit :

— Figure-toi que j'ai entendu parler d'une fille qui, pas plus tard que ce matin, a appelé Mme Dupuis, la mère de Côme, pour lui apprendre que son fils était en danger à son collège.

Eh bien, je pense qu'elle a rudement bien fait. Les parents ont parfois un peu trop tendance à fermer les yeux.

– Heureusement qu'ils sont pas tous comme ça, lui renvoie la Poison en se jetant dans les bras de papa.

Il était près de 9 heures du soir. Tandis que Cécile, secondée par maman, tentait de convaincre Côme de venir au salon où les gendarmes l'attendaient, lui promettant qu'en aucun cas ils ne le forceraient à quitter la maison, je me remémorais cette journée. Et quelle journée ! Avais-je vraiment, quelques heures seulement auparavant, rencontré un éditeur qui m'avait encouragée à écrire, moi dont c'était le rêve depuis toujours ? Cécile avait-elle réellement « enlevé » Côme Dupuis, entraînant la venue des gendarmes à la maison ? Je sentais en moi une sorte de bouillonnement, comme un trop-plein, une urgence à dire, crier, témoigner. Et la seule chose qui m'apaisait un peu était de me répéter, comme un mantra : « Je l'écrirai ! » Oui, j'écrirais cet instant fabuleux passé avec Paul Démogée à L'Embellie, le geste héroïque de Cécile, cette journée pas comme les autres, afin de mieux la comprendre et en partager le suc – comme d'un fruit doux-amer – avec les autres. Pourquoi pas avec le monde, comme l'avait fait un doux rêveur nommé René Magritte, un géant appelé Eugène Delacroix. Paul Démogée ne m'avait-il pas dit : « Il est temps de vous mettre à l'ouvrage ? » Le gentil ours : « Vous êtes bien partie ? »

Côme s'est assis sur le canapé entre Cécile et maman, papa est resté debout derrière eux, le capitaine Bertrand a posé un appareil enregistreur sur la table basse, il s'est calé sur une chaise et il s'est penché sur la victime.

— Est-il vrai qu'à ton collège certains garçons te maltraitent ?

Le visage suppliant, Côme s'est tourné vers Cécile.

— Ça a commencé dès la rentrée, a grondé celle-ci. « T'es qu'un nul, un débris, une épluchure, un bon à jeter. » Ils arrêtaient pas de l'enfoncer et personne le défendait. Il aurait pu aussi bien se flinguer, ils s'en foutaient.

Dans le salon, on n'entendait plus que le tic-tac de la pendule. Et encore, c'était comme si elle aussi retenait son souffle. Le capitaine a souri à la Poison :

— Je te remercie.

Il s'est à nouveau tourné vers Côme.

— Ces mêmes garçons, deux je crois, ont-ils pris une photo de toi à la piscine, qu'ils ont mise sur les réseaux sociaux ? T'ont-ils menacé de l'envoyer à ton père si tu ne leur donnais pas les sommes qu'ils te réclamaient ? En un mot : t'ont-ils rançonné ?

La peur ? La honte ? Côme n'a pas répondu.

— Il leur en fallait toujours plus, s'est indignée Cécile. Il n'en dormait plus. Moi, j'aurais voulu qu'il dise tout à ses parents, mais rien à faire. En plus, s'il caftait, ils le menaçaient de s'attaquer à sa petite sœur Lucie.

CHAPITRE 15

Elle s'est tue, comme si, pour elle aussi, c'était trop. Maman a tenté de prendre sa main, elle l'a repoussée. Papa serrait les lèvres.

— Comme il avait toujours pas le fric, a repris la Poison, ils lui ont dit que c'était plié : ce soir, son père aurait la photo. J'ai eu peur qu'il fasse une bêtise, alors je l'ai ramené ici.

Simple, évident : quand ton ami a le canon d'un revolver sur la tempe, tu réfléchis pas, tu agis. Voilà ce que venait de dire Cécile, les yeux dans les yeux du capitaine. Il a incliné la tête : « Oui. » Puis, une fois de plus, comme s'il voulait obliger Côme à relever la sienne, au moins un peu, il s'est adressé à lui.

— Côme, si nous te promettons que nous saurons te protéger, et ta petite sœur aussi, accepterais-tu de nous donner le nom de tes agresseurs ?

On a tous attendu sa voix, mais encore une fois il s'est tu.

— C'est Hubert Berto et Jérémy Gordon, a lancé Cécile avec défi. J'espère que vous allez les mettre en prison. Je suis d'accord pour témoigner.

Et j'aurais voulu que tout le monde soit là : mes sœurs, grand-mère, Amélie, Henri Vincent, et aussi M. Tavernier. Et qu'ils s'inclinent.

Le capitaine a rangé son enregistreur. Il a accepté de prendre un café. Quelques minutes plus tard, son portable a sonné. Il s'est éloigné pour répondre et, quand il est revenu, son visage était tout joyeux.

— Une bonne nouvelle pour toi, petit, a-t-il annoncé à Côme. Ton père est en route pour venir te chercher ; il ne devrait plus tarder.

Et Côme a prononcé ses premiers mots :

Il va me tuer.

Il y a des moments qui tuent : on dit qu'ils peuvent faire blanchir nos cheveux en quelques heures. Et ils resteront tout au long de notre existence, comme une plaie ouverte dans notre poitrine.

Mais il en est d'autres qui, au contraire, brillent en nous comme une lumière, un falot, qu'aucune vague, aucune tempête, ne parviendra à éteindre. Des moments qui nous rappellent que, malgré toutes les injustices, les trahisons, les foutues épreuves que vous envoie la vie, elle vaut d'être vécue. Tout simplement parce qu'un jour quelqu'un a crié « non » pour nous.

Il me semble qu'ici personne n'oubliera jamais le moment où Victor Dupuis, en costume-cravate, Légion d'honneur à la boutonnière, est apparu à la porte du salon. Où, sans regarder personne, sans même dire bonjour à maman, il a marché droit jusqu'au canapé où Côme essayait de disparaître, s'est agenouillé devant lui et, d'une voix dévastée, lui a dit :

– Pardonne-moi, mon fils.

Et on a tous retenu nos larmes, même le capitaine Bertrand.

Et vous pouvez appeler ça comme vous voudrez : « mélo », « eau de rose » ou « bluette », moi, j'en redemande.

– 16 –

Noël approche. Il paraît qu'on n'a pas eu un mois de décembre aussi chaud depuis un quart de siècle ; le ciel n'en fait qu'à sa tête !

– Pas du tout, râle Bernadette. C'est les hommes qui le rendent cinglé en le bombardant jour et nuit avec leurs saloperies. Et le jour où il leur tombera sur la tête, ils ne l'auront pas volé. M. Tavernier se fait du souci pour son jasmin et son laurier-tin qui se croient en été et font les beaux alors qu'un simple coup de gel suffirait à les anéantir.

Quand Béatrice m'a appelée pour m'inviter à déjeuner, goûter ou souper chez elle – au choix –, une bouffée de joie m'a traversée. M'aurait-elle manqué sans que je m'en rende compte ? Béa la brillante, la libre, ma seule et unique amie durant les années de lycée. J'ai choisi le vendredi 19, huit jours avant Noël : un apéritif dînatoire. Je m'y rendrais direct de la Sorbonne. Bien sûr, j'aurais droit à un interrogatoire en règle sur ma famille « trop comme il faut », tant pis !

– J'ai une surprise pour toi, m'a-t-elle avertie.

Aïe ! Venant de Béa, une surprise… On verra bien. J'en ai moi-même prévu une pour ses souliers, même si les souliers au pied des sapins ou devant la cheminée la font rigoler. Un carré de soie « fuchsia », sa couleur préférée : rouge mêlé de noir. Comme son humeur ?

L'appartement de Béa se trouve à deux pas de notre ancien lycée : 160 m² dans un immeuble en pierres de taille d'où l'on peut voir, le soir, clignoter madame Eiffel. Que de bons moments y avons-nous passés dans les fous rires ou la larme à l'œil. La dernière fois, c'était en mars. La grippe la clouait au lit et elle m'avait demandé de venir la voir. Avec ce qu'il lui restait de voix, elle m'avait asséné que Pierre, son oncle, l'homme que j'aimais, avait une compagne et une fille. Et sommée de rompre. J'ai décidé d'oublier.

Arrivée à la porte cochère, j'ai composé le code et, plutôt que de prendre l'ascenseur, j'ai monté les trois étages à pied afin de me préparer à revoir celle qui, malgré tout, était restée mon amie. Aujourd'hui, on n'arrête pas de courir : vite, toujours plus vite. On ne prend plus le temps de musarder, désirer, rêver : du temps perdu. Riez si vous voulez, si je préfère le train à l'avion, ce n'est pas par peur du crash, c'est pour savourer le changement du paysage, le voir se transformer peu à peu en un « ailleurs » qui me donne des fourmis partout.

Béa portait sa tenue « vahiné » : une longue robe très décolletée ornée de grosses fleurs orange et bleues, cheveux dénoués, pieds nus. Ne manquait que le sable. L'embrassant, j'ai reconnu son parfum, celui d'un grand couturier dont elle disait qu'elle se sentait nue sans lui alors qu'à mon avis c'était plutôt lui, appelé « Captive », qui la dénudait.

— Quand cesseras-tu de t'habiller en collégienne ? m'a-t-elle lancé.

J'ai vite retiré blouson et baskets et l'ai suivie dans le salon. Elle avait mis de la musique : piano, guitare. Sur une commode s'épanouissait un gros bouquet de cyclamens, fleur que certains appellent « plante de Noël » en raison de la couleur pourpre du dessous de ses feuilles. Parfait pour y déposer mon cadeau ! Sur la table basse, devant le canapé, des quantités de coupes et coupelles étaient disposées, pleines de zakouski divers, certainement pris chez le traiteur : Béa et la cuisine… Dans le seau à glace, l'habituelle bouteille de champagne.

Prenant place près d'elle, je n'ai pu m'empêcher de penser au minuscule studio de Charlotte et à son budget serré. Tout en m'interdisant de critiquer. Choisit-on l'endroit où a été préparé son berceau ? Et l'amour des parents de ma nouvelle amie, sa tendre et nombreuse famille, faisait d'elle, sans aucun doute, la plus riche des deux.

En un tour de main, Béa a fait sauter le bouchon de la bouteille et levé sa coupe.

— En l'honneur de monsieur l'ambassadeur. Ça y est, il s'est remarié. Si tu n'as pas été conviée, c'est que ça s'est passé à la sauvette, en Bretagne, où sa dulcinée l'attendait dans la tour de son château délabré.

Remarié, son père ? Béa s'était fait un souci d'encre à propos de ladite « dulcinée ». Finalement pas si désireuse que ça de voir la « mère indigne » remplacée.

— Et elle est comment ? ai-je demandé.

— Inoffensive. Vingt ans de moins que lui : il retombe en enfance.

Était-ce là sa surprise ? Nous avons heurté nos coupes et bu au « jeune couple », à nous, à la vie, à l'avenir.

— Et toi ? a-t-elle demandé.

Prévoyant ses questions, j'avais décidé de ne rien lui cacher des dernières secousses qui avaient agité la famille. À quoi bon se revoir si c'était pour tricher ? Tout en grignotant, je lui ai raconté la mésaventure de Claire dans le métro, son bébé, le prochain mariage. Et, plus récemment, le sauvetage de Côme par la Poison. À ma grande surprise, Béa ne m'a pas interrompue une seule fois pour se moquer. Et c'est moi qui, ma « confession » terminée, ai pris les devants.

— Tu me diras que tout ça se termine un peu trop bien. N'empêche que, quand ça te tombe dessus, tu le sens passer.

— Ce qu'il y a avec ta famille, c'est que vous avez un peu trop tendance à étiqueter tout le monde, a-t-elle constaté : Bernadette, l'intransigeante, Claire, la princesse, Cécile, la poison et toi… Toi qui ? « La douce rêveuse ? » Du coup, quand l'étiquette tombe, même si vous croyez à tous les saints du paradis, vous ne savez plus auquel vous vouer.

J'ai applaudi : comme c'était bien dit ! Elle aurait dû faire « lettres » comme moi.

— Moi, j'ai rencontré quelqu'un, a-t-elle laissé tomber.

Hou… Le souffle m'a manqué. Voilà donc la raison de son indulgence, ses façons moins brusques, son attitude comme apaisée ? La frondeuse avait rencontré celui dont elle disait qu'il n'existait pas, n'existerait jamais pour elle ? Terminé le défilé des « bons à jeter », des « juste pour le cul », qui me faisaient douter de mon amitié pour elle. Béa amoureuse ?

J'ai demandé prudemment :

— Raconte. Comment ça s'est passé ?

— Tout bêtement ! Sur Internet.

— Un site de rencontres ?

— Pourquoi pas une agence matrimoniale ? a-t-elle rigolé. Mais non : pur hasard. On a discuté : nos goûts, nos envies, le monde, tout. Ça avait l'air de coller, alors on a décidé de se rencontrer, même si, la plupart du temps, ça sonne la fin de l'aventure. Eh bien pas pour nous : ça fait quatre mois que ça dure.

— Et tu me le présentes quand ?

— Quand tu veux. Sauf que c'est pas « lui », c'est « elle ».

ELLE ? J'en suis restée sans mots, totalement out. « Elle », pour la dévoreuse de garçons ? Elle a poussé un gros soupir.

— Puisque apparemment j'étais pas ton genre.

Et nous sommes parties dans un fou rire qui m'a fait monter les larmes aux yeux.

Hélo, comme « Héloïse », avait dix ans de plus qu'elle. Elle était scientifique et étudiait les gamètes. À part ça, belle, drôle et sérieuse à la fois.

— Peut-être que je cherchais la mère, a-t-elle remarqué. Parce que je ne te dis pas la tendresse et les câlins.

J'étais la première à qui elle en parlait, le prochain serait son père, ha, ha ! Rien que d'imaginer sa tête…

On avait remis de la musique, éclusé les trois quarts de la bouteille de champ' et vidé coupes et coupelles. Jamais je n'avais vu Béa si joyeuse, si libérée, elle qui prétendait l'être de tout. Un peu avant 8 heures, j'ai appelé maman pour l'avertir que je ne rentrerais pas dormir à la maison, j'étais chez Béatrice.

— Embrasse-la de ma part, elle va bien ? a-t-elle demandé.

– Magnifiquement, ai-je répondu avec enthousiasme, et la captive du Net a fait le V de la victoire.

Plus tard, j'ai déposé le carré fuchsia au pied de la « plante de Noël ». Elle a ouvert son coffret à bijoux et me l'a mis sous le nez :

– Choisis.

Il y avait des colliers, des bracelets, des bagues, des boucles d'oreilles, rien que du vrai. J'ai choisi un bracelet-jonc or et argent, fermoir en forme de cœur.

– Bracelet témoin d'une inoubliable soirée-filles, a-t-elle décrété en le refermant autour de mon poignet.

Au diable la vaisselle, on a tout laissé en plan. Tant pis pour la toilette, on verrait ça demain. Elle m'a prêté un pyjama et on est tombées sur son lit « queen size ».

– Et toi, côté cœur, t'en es où ?

Moi ? Où voulait-elle que j'en sois ? Il y a un an, elle me présentait Pierre et Pierre était parti. Bien sûr, il me manquait et, chaque matin, à mon réveil, dans ma chambre de jeune fille, mon premier regard était pour la photo qu'il m'avait offerte en cadeau d'adieu : le couple-témoin. Bracelet-témoin, décidément… Ça devait être de famille.

Je m'étais efforcée de parler d'une voix légère : on n'allait pas gâcher cette soirée-révélation en parlant du passé ! Il m'a semblé voir Béa hésiter.

– Quoi ?

– À propos de Pierre, il a rompu avec Brigitte, m'a-t-elle annoncé. Garde alternée pour Angèle.

Angèle, fille de Pierre, dont Béa ne s'était pas privée de se servir pour me culpabiliser. Et voilà qu'elle m'annonçait qu'il était libre ! Libre pour moi ?

– Un jour, il faudra que tu saches ce que tu veux, ai-je conclu sèchement.

– C'est bien ça le souci, j'ai toujours tout voulu : les yeux plus gros que le ventre.

Sur ce, elle a éteint la lumière et, elle mon foulard autour de son cou, moi son bracelet-jonc à mon poignet, nous nous sommes endormies l'une contre l'autre, en tout bien tout honneur comme on dit.

À La Marette, c'est l'avalanche de paquets et paquetons au pied du sapin. Pour grand-mère, qui a décidé de passer Noël avec nous afin de fêter comme il se doit l'héroïne du RER et vérifier la bonne croissance de son premier « arrière », maman a trouvé une paire de chaussons, oubliée lors de son dernier passage. La Princesse s'est indignée : un chausson au pied du sapin ? Pas digne de notre distinguée aïeule : Charlotte-Marie. La Poison a suggéré qu'elle lui prête un de ses stilettos, Bernadette a proposé une botte, bref, côté ambiance, rien de nouveau. Faute de mieux, ledit chausson a été placé entre la bottine de Gisèle et la basket-dragon de Benoît, les enfants d'Henri Vincent. Ils viendront découvrir leurs cadeaux le 25 à midi. Trois souliers bien garnis en plus, ça occupe du terrain, gare à ne pas se tromper lors de l'ouverture des paquets ! Et Côme ? De quelle façon Noël se passera-t-il pour lui ? Sera-t-il capable d'en profiter ? Côme, cela paraît déjà si loin !

Après la messe de minuit, qui aura lieu à 20 heures à l'église de Jouy-le-Moutiers et à laquelle grand-mère tiendra certainement à assister, on se gavera de foie gras en brioche, dinde aux marrons et bûche glacée. Champagne à tous les étages, ah, traditions ! Ces traditions honnies par Béa qui fêtera Noël et le Jour de l'an sur le Danube, lors d'une croisière musicale avec son Héloïse. Pour l'instant, je n'ai parlé à personne de ses amours et, avantage des manches longues en hiver, nul n'a repéré à mon poignet le bracelet-témoin.

En attendant, c'est les vacances et, pour moi, elles seront studieuses. J'ai décidé de m'attaquer sérieusement au devoir-interview à rendre mi-janvier à Mme Garcia. En commençant par me plonger dans l'essai de Paul Démogée sur Eugène Delacroix : passionné, passionnant.

Mercredi, 18 h 30, maman vient de rentrer toute contente de sa boutique de déco à Paris. Avec les fêtes, les ventes cartonnent. Elle et son amie Amélie devront se livrer très vite à leur occupation favorite : chiner. Chercher chez un particulier ou dans un obscur vide-greniers la merveille que nul autre n'aura su découvrir avant elles. Notre rêve à tous, non ? Dans un coin de canapé, Bernadette boude. Depuis quelque temps, c'est fréquent. Devrons-nous faire appel à grand-mère pour en connaître la raison ? Papa se bat avec un mot fléché, notre addict torture son portable, quand le téléphone sonne : forcément pour l'un des parents. Maman se dévoue.

– Ah oui ?… Vraiment ?… Vous êtes certain ?

On ne peut pas voir son visage, tourné vers la fenêtre, mais sa voix est soucieuse.

– Je vous rappelle, merci.

Elle raccroche et reste immobile.

– Ça va, ma chérie ? lance papa.

Maman se retourne, revient lentement vers nous.

— C'était M. Augustin.

M. Augustin, ici, tout le monde le connaît. Même si seules maman et Cécile ont eu l'occasion de le rencontrer : 90 ans, ex-prof d'histoire, le « prétendant » de grand-mère à la résidence. La Poison affirme qu'elle a succombé à ses charmes, ha, ha.

— Et que te voulait-il ? demande papa.

— Maman sort seulement d'une très mauvaise grippe. Elle ne veut pas entendre parler d'annuler sa venue ici. Son médecin juge que ce n'est pas raisonnable : son cœur.

Un silence tombe : le cœur de grand-mère ? Grand-mère en danger ? À 86 ans, elle ne nous a encore jamais causé d'inquiétude. Son cœur, elle l'a donné à Hugo Lloris, le gardien de but des Bleus. Elle conduit, s'offre des voyages, joue au bridge et au scrabble pour entretenir sa mémoire.

— L'autre jour, quand je l'ai appelée, je lui avais trouvé une drôle de voix, j'aurais dû me douter…

Papa se lève, va vers maman et entoure ses épaules de ses bras.

— Je vais essayer de joindre son médecin pour en savoir davantage. Et, pour Noël, je ne vois qu'une solution : c'est nous qui descendrons le passer à la résidence.

— Et tout ça, on en fait quoi ? interroge maman en désignant la montagne de paquets au pied du sapin qui clignote pour rien.

— Ceux qui seront du voyage emporteront leurs cadeaux. Nous nous occuperons des autres dès notre retour.

— Le voyage ? J'en suis ! crie soudain Bernadette en levant la main. Ça m'évitera de subir les oukases du père de Stéphane.

Maman se tend : Bernadette peut être la plus généreuse des filles, mais aussi parfois la plus perso.

– C'est ça, enfonce le clou, s'indigne la Poison. T'attends quoi pour appeler grand-mère et la remercier d'être malade ?

– Ça suffit, les filles ! ordonne papa. (Et à maman :) Veux-tu que je parle à cet Augustin pour organiser les choses avec lui ?

– Si tu veux bien, je préfère m'en occuper moi-même.

Maman avait mis le haut-parleur et on a tous pu entendre le cri de joie de grand-mère quand elle a appris que nous viendrions fêter Noël avec elle à la résidence. Suivi d'un sec : « J'aurais dû me douter qu'Augustin ne tiendrait pas sa langue ! » Maman l'a suppliée de ne pas lui en tenir rigueur. C'est l'affection qu'il lui portait qui l'avait poussé à l'appeler. « Affection, affection, lui a renvoyé grand-mère, un vrai macho qui s'est mis en tête de me protéger. » Aïe, le macho risquait d'en prendre pour son grade. Cécile buvait du petit-lait.

Il a été décidé de partir le 24 au matin : après-demain. Retour dès le 27, le cabinet du docteur Moreau étant de garde pendant les fêtes. Grand-mère a décrété qu'elle se chargeait de l'hébergement. Honteuse de sa sortie, Bernadette s'affairait sur son ordinateur côté « réservations Air France low cost » !

Restait le plus délicat : avertir Claire de la grippe de grand-mère et du changement de programme qui s'ensuivait. Tout en sachant que ses obligations familiales l'empêcheraient de nous accompagner.

Claire a toujours eu avec grand-mère une relation particulière. Ses grands airs de princesse n'ont jamais impressionné celle-ci, au contraire : elle y voit un aveu de faiblesse. C'est grâce à grand-mère que, après avoir renoncé au mannequinat, suite à la trahison de son coach, Claire avait repris confiance en elle. C'est lors d'un voyage commun en Grèce qu'elle avait rencontré Henri Vincent et renoué avec l'amour[1]. Seul souci : elle croit grand-mère éternelle.

— Je me charge de l'avertir, a décidé papa.

Lui, n'a pas mis le haut-parleur – il déteste. Aussi n'a-t-on pas entendu la réaction de la Princesse lorsqu'il lui a parlé, d'une voix fausse à souhait, du coup de froid pris par notre aïeule et de notre départ pour Nice, la veille de Noël. Il a très vite raccroché.

— Alors, comment l'a-t-elle pris ? a demandé maman, inquiète.

— C'est passé comme une lettre à la poste, a répondu papa, tout fier de lui.

On allait enfin pouvoir songer à dîner.

---

1. Voir *Les Quatre Filles du docteur Moreau.*

Dans le ciel de Nice, le bal de Noël était lancé. Ça valsait du côté de la baie des Anges, ça swinguait sur la promenade des Anglais où, entre les danseurs, se faufilait la silhouette du peintre Matisse, palette à la main, à la recherche de ses couleurs. Et, dans le vieux port, les coques des bateaux se heurtaient sous les applaudissements des goélands et le miaulement des mouettes.

Le portier de la résidence s'est emparé de nos sacs. L'austère directrice nous a conduits dans le salon où un sapin avait été dressé, trop décoré, là pour l'épate, sans souliers à son pied. Comme si, passé un certain âge, on n'avait plus droit aux surprises, alors qu'au contraire elles n'ont jamais été si nécessaires et longuement savourées.

Très élégante dans son tailleur perle et ses bottines noires, grand-mère nous attendait près de son chevalier servant, lui vêtu d'un costume sport, foulard autour du cou en guise de cravate. Charlotte-Marie était-elle plus pâle que d'habitude sous la poudre de riz autrefois réservée aux reines ? Avait-elle maigri ? Comment le savoir puisque cela faisait plus de six mois que nous ne l'avions pas vue, inconscients que nous étions ?...

Embrassades et présentation du prétendant ont eu lieu avant que ne soit procédé à la distribution des chambres. Chaque appart' de la résidence est doté d'une chambre d'amis, « chambre à donner » comme on dit. Dans la sienne, grand-mère hébergerait les parents ainsi que Cécile, sur un matelas gonflable au pied de leur lit, Bernadette et moi occuperions celle de M. Augustin, et la grimace de la Poison a indiqué que, tant qu'à faire, pour une nuit de Noël, elle aurait préféré notre compagnie à celle de ses « vieux ».

Un buffet avait été dressé dans la vaste salle à manger ornée de guirlandes : buffet restreint en prévision des agapes du soir. Nous nous y sommes restaurés sous le regard curieux des autres pensionnaires, papa à la droite de grand-mère, M. Augustin à sa gauche. Si brouille il y avait eu, elle avait fait long feu.

Grand-mère nous a expliqué qu'ils s'étaient partagé les festivités. Ce soir, elle nous inviterait à réveillonner dans la baie des Anges, la mer pourvoyant au menu. Demain, ce serait M. Augustin qui régalerait en nous emmenant déjeuner à Peillon, fameux « village perché » dans les Alpes, à quelques kilomètres de Nice, où il était né.

Elle a soupiré :

– Je me faisais une telle joie de revoir Claire ! Quel dommage qu'elle n'ait pu venir. J'espère au moins être parvenue à la rassurer quand elle m'a appelée.

Claire avait appelé grand-mère ? Première nouvelle. Personne n'a jugé bon d'insister. Et déjà maman était convoquée dans sa chambre : parions qu'il y serait question de son futur « arrière » ainsi que du dernier exploit de la Poison : le sauvetage d'un grand-petit garçon, victime de harcèlement dans son collège. Papa qui, de Jouy-le-Moutiers, avait réussi à prendre rendez-vous avec le médecin traitant de sa belle-mère – chut ! –, a disparu très vite. Bernadette et Cécile sont allées dire bonjour à la mer. Non merci pour moi, plus tard !

Il fait beau, bleu, presque doux. Dans le jardin de l'établissement, quelques résidents, étendus sur des transats, lisent ou bavardent à voix basse. Cela sent bon le jasmin et l'amaryllis. Calée dans un confortable fauteuil en osier sous un érable pourpre, j'ai sorti de mon sac le cahier à spirale interview, quelque peu délaissé ces derniers temps pour cause de turbulences familiales. Voyons, où en étais-je ? Ah oui, à tenter de mettre un peu d'ordre dans les réponses de Paul Démogée à mes questions. Pas facile : un vrai brouillon. J'avais si peur qu'en me voyant écrire il ne cesse de se confier. Car n'est-ce pas ce qu'il a fait ? Se confier à travers ses silences, ses hésitations, ses sourires qui n'en étaient pas. Je me demande encore ce qui s'est passé pour qu'il se livre ainsi. En posant mes questions, je ne m'y attendais pas. « Qui êtes-vous ? » « Vous-même, écrivez-vous ? » « Vous arrive-t-il de douter ? » Je revois son visage, passant de l'amusement, de l'humour, à la gravité. J'entends sa voix, tantôt lourde, tantôt détendue. Et moi, me livrant à mon tour, lui confiant mon désir d'écrire. Et mon bonheur lorsqu'il m'avait dit : « Il est temps de vous mettre à l'ouvrage ». Et...
La soudaine vibration de mon portable me fait sursauter. Le sortant de ma poche, j'envoie valdinguer mon stylo dans le décor. Où étais-je ?

– Où es-tu, Pauline ? demande maman. Tout le monde te cherche. Ta grand-mère te réclame.

Entrer dans l'appartement de grand-mère, c'est entrer dans hier. Elle a réussi à caser dans ses 50 m² tous les meubles auxquels elle tenait le plus. Parmi d'autres, le secrétaire Louis XVI en acajou blond, derrière le battant duquel se trouve un tiroir secret où lettres d'amour et bijoux se sont succédé au cours des générations. Cette pendule Empire en bronze doré, ornée d'une femme aux seins nus brandissant un flambeau, qui bat au rythme du cœur de l'Empereur. Cette théière en porcelaine fleurie, aux senteurs exotiques, évoquant des dames à chapeau, papotant le petit doigt levé. Un « hier » qui n'exclut pas aujourd'hui, comme en témoignent le clignotement de l'ordinateur, le confortable écran de télévision et le bourdonnement de l'air conditionné. Un hier qui nous rappelle nos racines pour mieux nous ancrer dans le présent.

Bien droite sur son lit, calée à deux oreillers, grand-mère me sourit.

– Et toi, ma poulette, raconte.

Qui d'autre m'appellera « ma poulette » quand elle ne sera plus là ?

– Moi ? Rien de spécial, ça va.

– Es-tu contente de ce que tu fais ?

– Très.

On peut aimer beaucoup quelqu'un sans pour autant avoir envie de se confier à lui. Comment dire à grand-mère ce que j'éprouve depuis une certaine soirée filles avec Béa ? Soirée que ne cesse de me rappeler le bracelet-jonc à mon poignet.

D'abord la révélation de son homosexualité. Puis l'annonce d'une rupture entre Pierre et Brigitte. Pierre libre alors que je commence seulement à mieux respirer, qu'il m'arrive même d'oublier de souffrir. Et que ferai-je s'il m'appelle ? Grand-mère, je nage en plein brouillard.

— Et les boucles d'oreilles, t'ont-elles plu ?

Celles, en forme de cœur, reçues pour mon anniversaire, dont je m'étais demandé quel message elles contenaient : tous les cadeaux de grand-mère contiennent des messages.

— Beaucoup ! Je les mettrai ce soir pour le réveillon.

— Sais-tu qu'elles me venaient de ma mère ?

Dont le portrait se trouve, ainsi que quelques autres, sur sa table de nuit, à côté de la « cloche à orage ». Cette clochette en bronze, je l'ai toujours vue là. Bénie par je ne sais quel saint, on l'agite pour chasser la foudre quand le ciel gronde et que fusent les éclairs. Je la prends entre mes doigts et la fait tinter : « drelin-drelin ». Grand-mère a un sourire malicieux.

— Qui viens-tu de chasser ?

— Si je le savais…

— À mon âge, tu vois, les cloches à orage, on n'en a plus guère besoin, prends-la, elle est à toi.

Et il me semble que la grande dame a tout compris. Même ce que je ne parviens pas à m'expliquer à moi-même.

« Baie des Anges »... Bien sûr, tout le monde pense que l'origine de ce nom vient de ceux qui, de là-haut, veillent sur nos destinées. Eh bien non, pas du tout ! Il est dû à un poisson requin dont les ailerons déployés évoquent les ailes des gardiens du paradis. On peut le déguster grillé ou en sauce dans certains restaurants. Manger de l'ange ? Il n'y a qu'à Nice – « déesse sortie d'un flot d'écume sous le baiser du soleil » – qu'on peut se le permettre.

C'est dans l'un de ces restaurants que grand-mère avait réservé pour le réveillon. Son médecin, que papa avait réussi à rencontrer, lui avait donné la permission de 22 heures. Il n'avait pas caché à son confrère que l'alerte avait été sérieuse, le cœur de sa patiente fortement malmené par la grippe. Jusque-là, elle avait toujours refusé de se faire vacciner, au prétexte qu'à 86 ans elle n'intéressait plus les virus. Il espérait que désormais elle se montrerait plus raisonnable. Raisonnable, grand-mère ? Vous rêvez !

Elle avait dégotté une messe célébrée dès 7 heures du soir dans une petite chapelle où tout le monde, y compris

Bernadette, avait été prié d'assister. Et à 8 heures, nous étions tous attablés face à la fameuse baie.

Sur la promenade des Anglais, joliment éclairée, on pouvait voir quelques rares promeneurs flâner entre palmiers et mimosas. Autour de nous, peu de monde, un groupe d'étrangers, deux ou trois couples. Noël se fête en famille : date à risque pour les esseulés. Cloche à orage souhaitée ?

Le champagne nous a d'abord été servi et, après avoir trinqué, M. Augustin nous a demandé de l'appeler désormais par son prénom. « Même moi ? s'est inquiétée la Poison ? – Surtout toi, qui pourrais être mon "arrière" », a-t-il répondu et Cécile a pris un air entendu : une preuve supplémentaire qu'entre lui et grand-mère… Grand-mère n'a pas relevé.

Deux somptueux plateaux de fruits de mer ont été posés sur la table. Sur l'un : huîtres et coquillages divers, dont des praires au goût de noisette. Sur l'autre, langoustes, langoustines et crevettes. Plus une montagne de mayonnaise, pain bis et beurre salé. Vin blanc pour ceux qui le souhaitaient. Alors que nous nous apprêtions à nous régaler, M. Augustin – pardon : « Augustin » – a balayé d'un revers de manche les beaux couverts d'argent disposés à droite de son assiette et les a remplacés par un épais couteau rouge sorti de sa poche.

– Couteau de survie, nous a appris grand-mère avec une moue blasée.

Il s'est expliqué.

Son père le lui avait offert lorsqu'il avait été reçu avec mention « très bien » au baccalauréat. Il avait 17 ans. Comme en témoignait la croix blanche sur son manche, il venait de Suisse. Muni de six lames, il comptait en plus un tire-bouchon, un ouvre-boîte, une paire de ciseaux et une petite scie à bois. Depuis, Augustin ne s'en était jamais séparé. Il l'utilisait à tous les repas, y compris lors des très officiels et cérémonieux dîners. A-t-on honte d'un ami ?

– Quand j'en aurai terminé, j'en ferai don à saint Pierre, a-t-il conclu.

Grand-mère dissimulait sa tendresse sous des airs indulgents – genre « les hommes sont de grands enfants ». Cécile était à la fête. Moi, j'aurais voulu toucher ce couteau comme on touche une vie : soixante-dix-sept ans de compagnonnage quand même !

Un bar – poisson roi – en croûte de sel a suivi. Pas prof d'histoire pour rien, Augustin nous a raconté celle de Nice. Fille d'Apollon, dieu soleil, elle avait subi toutes les invasions, se relevant à chaque fois plus forte, plus fière, ce qui lui avait valu ce bel éloge d'André Gide : « La victoire est son nom, la montagne son appui, la mer sa parure, le ciel sa gloire. »

– Waou, trop top ! s'est enthousiasmée Cécile, pourtant plus portée d'ordinaire sur la musique de son portable que sur celle des mots.

Elle m'a pointée du doigt :

– Toi, Pauline, y'a intérêt à ce que tu fasses aussi beau.

Tous les regards sont venus sur moi qui me suis sentie rougir. « Il est temps de vous mettre à l'ouvrage », m'a soufflé Paul Démogée à l'oreille.

Lorsqu'à 22 heures pile nous sommes rentrés à la résidence, le réveillon battait son plein dans la salle à manger d'où montait de la musique d'autrefois. Étouffant nos rires comme des gamins, nous avons laissé chacun un soulier au pied du sapin qui n'en revenait pas. On verrait bien si le père Noël descendait. Rendez-vous demain à 8 heures.

Je viens de prendre place dans le grand lit de la chambre d'amis d'Augustin. Bernadette m'a succédé dans la salle de bain. Durant toute la soirée, elle n'a pratiquement pas ouvert la bouche. À présent, il me semble l'entendre tempêter au téléphone : Stéphane, forcément. Par le rideau entrouvert, j'aperçois un croissant de lune. Sous la porte de notre hôte passe un rai de lumière. Je le fixe, comme je le faisais enfant sous celle des parents pour me rassurer. Mais revoilà déjà Bernadette, toutes boucles dehors, court tee-shirt chemise de nuit qui ne cache rien, belle et rebelle.

– Tiens, tu dors pas encore, toi ?

Elle se glisse près de moi et éteint en direct. Au risque de me faire envoyer sur les roses, je hasarde :

– Ça à pas l'air d'aller très fort, toi !

Elle n'attendait que ça.

– Si tu veux savoir, je le supporte plus.

De qui parle-t-elle ? Pourvu que ce ne soit pas de Stéphane.

– Son hôtel particulier à Neuilly, sa piscine, le petit truc rouge à sa boutonnière… Monsieur croit que ça lui donne tous les droits !

Hubert de Saint-Aimond, père de Stéphane, avocat renommé. Le « petit truc rouge » ? La Légion d'honneur.

– Qu'est-ce qui s'est passé ?

– Le couteau sur la gorge ! J'accepte de régulariser ou la porte du bel hôtel m'est fermée à jamais et Steph mis en pénitence.

– Aïe ! Et il en pense quoi, Steph ?

– C'est bien ça le souci : régulariser, il demande que ça, gniards à l'appui !

— Et sa mère ?

— Elle, je l'aime bien. Même si, chez eux, c'est le mâle qui décide.

Et alors que je redoutais que, après Claire, Bernadette ne quitte la maison, j'ai peur d'un clash entre Stéphane et elle.

— Et puis merde ! conclut-elle en se tournant du côté du mur.

J'agite la cloche à orage. J'attends que le rai de lumière s'éteigne sous la porte d'Augustin pour m'autoriser à fermer les yeux.

– 20 –

À 8 heures pile, en chaussettes et tenue de nuit dissimu-
lée sous vestes et chandails, nous étions tous dans le salon
où le père Noël était bien passé. Dans l'élégant escarpin de
grand-mère se trouvait un baladeur qui lui permettrait d'écouter ses chanteurs préférés : de Barbara à Vanessa Paradis, de
Charles Aznavour à Calogero. Dans le mocassin d'Augustin,
une boîte de cigarillos, son péché mignon. Une écharpe pour
papa, du parfum pour maman, et pour nous, les filles, des
sous et encore des sous, dans l'enveloppe de grand-mère et
dans celle des parents. Une babiole en plus pour ne pas vexer
saint Nicolas.

Ayant découvert la veille nos souliers au pied du sapin,
quelques résidents étaient descendus. Blottis dans des fauteuils, ils dévoraient le spectacle des yeux tout en jouant les
détachés. Depuis combien de temps en avaient-ils été privés ?

Il était un peu plus de 9 heures et nous nous apprêtions à
regagner nos chambres quand la porte du salon s'est ouverte
à toute volée et Claire est apparue. Dans son tailleur de couleur vive, perchée sur de hauts talons, cheveux relevés en

113

chignon, impeccablement maquillée, jamais elle n'avait été aussi belle… ni aussi tragique. Sans regarder personne, elle est allée droit vers grand-mère et elle l'a prise dans ses bras :

– Tu m'as fait tellement peur, grand-mère, tellement ! Si tu savais… a-t-elle hoqueté.

Avant de se tourner vers papa et de le foudroyer du regard.

– Je croyais que pour toi la vérité passait avant tout ? Un simple coup de froid… une gripette… alors que c'était ric-rac pour le cœur de grand-mère ? Tu me prends pour qui ? Une imbécile ? Une attardée ? Qu'est-ce qu'il faut que je fasse pour que tu comprennes que je ne suis pas en sucre ?

Quand papa l'avait appelée, trois jours auparavant, pour lui parler de la grippe de grand-mère et du changement de programme pour Noël, elle avait tout de suite flairé l'arnaque : cette voix trop légère, ce rire qui n'en était pas un lorsqu'elle lui avait demandé ce qu'il voulait dire par « gripette ». Et annule-t-on un voyage mijoté depuis des semaines pour un simple caprice du thermomètre buccal ?

Aussitôt après avoir raccroché, elle avait appelé l'intéressée. « Alerte passée, plus de soucis à se faire », avait clamé grand-mère. Quelle alerte ? Quels soucis ? Si Claire s'était écoutée, elle serait partie sur-le-champ voir de quoi il retournait. Mais, imaginant la déception d'Henri et de ses enfants si elle ne participait pas au réveillon, elle avait attendu ce matin, le premier vol pour Nice. Et voilà !

Pauvre papa, si certain de l'avoir rassurée. Confus, il se faisait tout petit et, bien entendu, maman a volé à sa défense.

– Ton père n'a pas voulu te mentir, simplement atténuer le choc.

CHAPITRE 20

— C'est ça : tout roule, tout baigne, tout va très bien madame la marquise, a ironisé Claire. Et les vieilles dames peuvent bien se faire massacrer dans le RER : un détail !

— Et les faibles qui se font rançonner au collège par des ordures, une bavure ! en a rajouté Cécile.

— RAS, passez votre chemin, a résumé Bernadette.

Grand-mère a levé la main :

— En tant que principale intéressée, ai-je le droit à la parole ?

Tout le monde s'est tu, tous les visages se sont tournés vers Charlotte-Marie, y compris ceux de ses copains. Elle a pointé le doigt vers Augustin qui contemplait avec tendresse la boîte de cigarillos qu'elle lui avait offerte.

— Voilà ce qui arrive quand on ne sait pas tenir sa langue : c'est toute une famille qui se déchire.

Avant de désigner le ventre arrondi de Claire :

— Vous devez être fatigués tous les deux. Si vous veniez vous reposer dans ma chambre ?

Plus tard, histoire de s'aérer, maman, Bernadette, Cécile et moi sommes allées faire un tour du côté de la mer. Sur la promenade des Anglais et sur les galets de la plage, des enfants étrennaient leurs cadeaux de Noël sous l'œil heureux de leurs parents. Il y avait de belles montres aux poignets, des baskets lumineuses aux pieds, des cris de victoire du côté des patins et des trottinettes, des visages renversés vers les cerfs-volants. Partout de l'allégresse, des rires, des chants, parfois un pleur.

— Et ça, c'est quoi ? a demandé soudain la Poison en désignant à mon poignet le bracelet-jonc, fermoir-cœur, que, dans la chaleur de l'action, j'avais oublié de cacher.

— Un cadeau du prétendant de Pauline ? a plaisanté Bernadette.

– Le témoin des amours de Béatrice, me suis-je entendue répondre.

– Grâce au ciel, elle a enfin trouvé ! s'est exclamée maman ravie.

– Tout à fait. Elle s'appelle Héloïse, elle a dix ans de plus que Béa, une scientifique. À part ça, elle est belle et tendre et ça fait plusieurs mois qu'elles sont ensemble. Du sérieux comme vous pouvez le constater.

Les yeux se sont écarquillés. On peut éprouver de la jouissance à mettre les pieds dans le plat. Et, depuis ce matin, la vérité n'était-elle pas au menu ?

Bernadette a réagi la première.

– On sait bien qu'avec Béa on peut s'attendre à tout. Mais une femme, quand même…

– Quand même quoi ? a réagi Cécile en brandissant son encyclopédie électronique. Aujourd'hui, de plus en plus de femmes osent afficher leurs préférences. Et pour les bébés ? PMA ? GPA ?

– Elles n'en sont pas encore là, ai-je répondu en riant.

Cette nuit, pestant contre Stéphane, Bernadette avait taxé sa mère d'« arriérée ». On s'est toutes tournées vers maman qui n'avait encore rien dit.

– Si elles s'aiment... a-t-elle conclu en reprenant la marche.

Grâce au ciel ?

Pour nous emmener déjeuner à Peillon, son village natal, Augustin avait emprunté un mini-car à un ami : huit passagers quand même ! S'il conduisait d'une main sûre, le code était devenu une énigme pour lui, ainsi que les nouvelles limitations de vitesse. Et durant la dizaine de kilomètres qui nous séparaient du fameux « village perché », nous avons cru vingt fois notre dernière heure venue.

Assise à « la place du mort », grand-mère a attendu d'être attablée au restaurant de la Madone pour manifester sa désapprobation à son prétendant. Sans se soucier de l'entourage, elle a récité un vibrant bénédicité :

– Seigneur, bénissez ce repas, donnez du pain à ceux qui n'en ont pas et assurez-vous qu'Augustin cesse de faire le zouave et nous ramène entiers à bon port.

Mise en demeure, assortie d'un signe de croix vengeur.

Il y a eu des applaudissements.

La veille, nous avions dégusté des fruits de mer. Durant ce repas, nous nous sommes régalés de produits du terroir. Tout en découpant savamment ses beignets de fleurs de courgette à l'aide de son couteau suisse, le « zouave » nous a raconté son enfance de petit Peillonnais. D'un père agriculteur et d'une mère blanchisseuse, il avait vécu au village ses plus belles années. C'était certainement en escaladant les ruelles du village médiéval, savourant l'eau fraîche de l'antique fontaine, jouant à la guerre autour du château fortifié et frémissant en se glissant dans la chapelle des Pénitents-Blancs, qu'il avait attrapé le virus de l'Histoire, la grande, celle qui nous rend meilleurs, pour peu que nous en tirions les leçons. Il l'avait enseignée durant plus de quarante ans à Nice.

Marié à une fille du pays, hélas trop tôt disparue, père de deux enfants émigrés au Canada, l'âge de la retraite venue, la maison familiale vendue, il s'était installé à la résidence, où il avait eu le bonheur de rencontrer Charlotte-Marie.

Et là, c'est Cécile qui a applaudi.

De l'agneau grillé aux herbes avait succédé aux fleurs de courgette.

Il faisait bon, doux, parfumé. Nous n'éprouvions plus le besoin de parler, seulement celui d'être bien ensemble. Oubliées, les larmes de Claire retrouvant gand-mère, suivies de sa colère. Loin, celle de Bernadette, face aux diktats du père de Stéphane. Oui « tout allait bien, madame la marquise, malgré la mort de la jument grise, les écuries brûlées, le château en flammes et monsieur le marquis ruiné… » puisque nous nous étions retrouvés.

Que dire des dernières moments passés à la résidence ? C'est Bernadette qui a été appelée à confesse dans la chambre de grand-mère et nul n'a jamais su ce qui s'y était dit. Mais, en en sortant, prise d'une énergie nouvelle, Bernadette a accompli le tour le force de trouver un billet pour Claire dans l'avion qui nous ramènerait le lendemain matin à Paris. Cécile suivait Augustin comme son ombre dans l'espoir de récolter la preuve qu'entre lui et grand-mère… Les parents sont partis en balade du côté du vieux Nice, où les échoppes de déco sont nombreuses et un trésor inestimable toujours possible à récolter.

Vers 6 heures du soir, je suis retournée dans le jardin de la résidence pour profiter des derniers rayons du soleil. Les transats avaient été repliés, les parasols fermés. Un vieux jardinier arrosait patiemment un massif d'hortensias d'un bleu-violet incomparable. Jamais je n'en avais vu d'aussi beau. Je le lui ai dit.

– Ça, c'est mon secret, mademoiselle, a-t-il répondu.

– Et si je vous promets de ne le répéter à personne ?

Il a souri :

– Eh bien, ce n'est pas sorcier. Il suffit d'ajouter à la terre, au pied de la plante, des bouts de fil de fer. C'est en rouillant qu'ils lui donnent cette couleur particulière.

Oh si, monsieur. le jardinier, c'est sorcier ! Le fil de fer et le doux pétale bleu, le tendre et le dur, le beau et le laid, tout et son contraire qui, parfois, nous offrent de la beauté.

C'est curieux, la mémoire. Lorsque je penserais à ce Noël si riche en événements, c'est ce coin tranquille de jardin, ignoré des dieux de l'Olympe, qui m'apparaîtrait en premier.

– Oyez, oyez, pavoise Cécile en brandissant une carte de Noël pleine de paillettes et d'étoiles, portant un gros MERCI, signé Côme.

– Tu vois, moi, j'aurais préféré des chocolats, grince Bernadette.

À La Marette, quatre souliers s'ennuient au pied du sapin qui commence à perdre ses aiguilles : bottine et basket de Gisèle et Benoît, les enfants d'Henri, dont le mocassin voisine avec l'escarpin de Claire. Ils viendront découvrir leurs cadeaux demain à l'heure du déjeuner, un déjeuner style : poulet-mayonnaise-ketchup et montagne de chips. Côté « réveillon », on a déjà donné.

Dimanche prochain, avec l'aide de M. Tavernier, qui ne manquerait ça pour rien au monde, on replantera le sapin dans la « forêt », au fond du jardin et je brûlerai de lui raconter un massif d'hortensias d'un bleu profond inouï. Mais j'ai promis.

Comme une petite fille sage – oui, Béa –, je passerai le réveillon du 31 à la maison avec Cécile et les parents : un bon repas et un film culte à la télé pour patienter jusqu'à la dernière minute, attendue du monde entier, ouvrant sur la nouvelle année. Nous nous embrasserons sous la boule de gui suspendue au lustre du salon et, dans les baisers appuyés des parents, je sentirai plein de « non-dits » exprimant l'espoir.

Durant les jours qui suivront, de jolies cartes de vœux nous viendront d'un peu partout. Et aussi ces boîtes de chocolats souhaitées par Bernadette, offertes à papa par des patients, plus une ou deux reçues par maman. Les chocolats seront prestement dévorés, les cartes de vœux exposées sur la cheminée du salon jusqu'à la fin du mois, où elles rejoindront, dans un carton au grenier, celles des années précédentes : un bon paquet que nul ne regardera plus jamais. Mais comment les jeter ?

Dans le tiroir de mon bureau, celui qui ferme à clé, je rangerai la carte de Pierre, arrivée sous enveloppe, timbre américain, portant ces simples mots : « Je reviens. Seras-tu là ? » Les coups de poignard au cœur, avec lui, j'ai l'habitude.

J'ai enfin terminé mon devoir-interview.

« Il s'appelle Paul Démogée, il a 30 ans et il est l'auteur de plusieurs ouvrages sur l'art. Il vient de recevoir le prix de la Biographie pour *Eugène Delacroix : un génie en ébullition.* »

C'est ce peintre, affirme-t-il, qui lui a ouvert les portes de l'art. Âgé d'une douzaine d'années, il avait suivi, sans grand enthousiasme, son père, galeriste, à une exposition des œuvres de celui-ci. Et voilà que face à toutes ces couleurs, ce feu, cette exubérance, il se sent roulé, emporté par une vague d'émotions dont il ne reviendra jamais. Un peu plus loin, devant un autoportrait de l'artiste, son regard sombre, exigeant, c'est cette fois un appel qu'il entend : « Viens. » Ou plutôt : « Va ! » Et de toute son ardeur d'adolescent fougueux et tourmenté, il répond « oui », sans savoir que le chemin sur lequel il s'engage est celui, enthousiasmant et douloureux, de la transcendance, du dépassement de soi, de la recherche de la beauté qui nous transporte, nous expose, sans jamais nous lasser.

« Chacun d'entre nous porte en lui une blessure », affirme Paul Démogée. Certains ont le privilège de pouvoir la transformer en lumière : le peintre avec son pinceau, le musicien avec son archet, l'écrivain avec sa plume. Ils puisent leur inspiration dans leur souffrance, la parent de leurs couleurs et de celles du monde qui nous entoure, y ajoutent les couleurs de l'espoir et, lorsque nous regardons leur œuvre, que nous l'écoutons ou la lisons, une joie profonde nous emplit. Nous nous sentons enfin vus, regardés, écoutés, compris. Pourquoi pas aimés ? Le voilà, le don du créateur.

Je demande à Paul Démogée s'il lui arrive de douter.
– Celui qui ne doute pas tourne en rond, déplore-t-il. Ne parvenant pas à sortir de lui-même, il s'enferme sans le savoir. Le doute est fécond : plus grand est l'artiste, plus, face au monde, à l'infini, il doute. S'obligeant ainsi à se dépasser.

Ce dépassement, ce désir d'envol jusqu'à la souffrance, sont représentés sur un tableau de René Magritte : *Les grandes espérances*, suspendu au mur de son bureau. On y voit s'élancer à l'assaut du ciel un arbre immense, fin, fragile : plutôt une tige. J'y ai entendu la voix de Paul Démogée. Mais quand je lui ai demandé : « Êtes-vous un créateur ? »

il a nié. « Un simple intermédiaire, un passeur de beauté si vous préférez. »

Pourtant, je crois pouvoir affirmer que c'est bien à lui qu'Eugène Delacroix a dit : « Viens ! Va ! »

L'écriture de cette simple page m'avait demandé beaucoup de temps et posé un problème important : avais-je le droit de mettre dans mon devoir les hésitations, les doutes, le regret que j'avais perçus dans les réponses de l'éditeur à mes questions ? N'était-ce pas aller trop loin ? D'une certaine façon, trahir sa confiance ?

Mais Mme Garcia ne nous avait-elle pas conseillé de poser des questions personnelles – sans pour autant nous montrer indiscrets – à celle ou celui que nous interrogerions afin de donner chair à notre récit ? Cette chair à vif que j'avais sentie frémir tout au long de mon entretien avec mon interlocuteur ?

Autre problème, plus secondaire : mon devoir n'était-il pas trop court ? J'avais pourtant le sentiment d'avoir dit l'essentiel dans cette unique page. En m'obligeant à en rajouter, ne retirerais-je pas de la force à mon interview ? À plusieurs reprises, j'avais été tentée d'appeler Paul Démogée pour lui soumettre mon texte. La timidité, la peur de son jugement m'en avaient empêchée et finalement j'avais décidé de ne rien changer. À Dieu vat !

Charlotte, elle aussi, avait terminé son devoir et m'avait proposé de le lire. Elle avait interrogé un ami compositeur qui avait du mal à se faire connaître. Alors que la musique était tout pour lui : sa vie, sa respiration, son seul but, il lui semblait n'être pas entendu. Il exprimait dans l'interview son angoisse, les questions qu'il se posait sur son talent, ses accès de désespoir. Charlotte avait réussi à s'effacer devant son sujet, son texte était beau, simple, émouvant. J'avais applaudi. Mais, lorsqu'elle avait demandé à lire le mien, j'avais refusé, prétextant ne pas l'avoir tout à fait terminé.

Parviendrais-je un jour à me faire confiance à moi-même ?

– 23 –

Ce matin de janvier, au cours d'« Initiation à la peinture » – mon cours préféré –, M. Chatelet nous a parlé de Claude Monet et, plus particulièrement, des *Nymphéas*, projet fou auquel le peintre, maître de l'impressionnisme, avait consacré plus de trente années de sa vie.

Alors que ses tableaux répondaient en général à des commandes – et il n'en manquait pas –, l'idée des *Nymphéas*, inspirée par les nappes de nénuphars de son « jardin d'eau » à Giverny, s'était emparée de lui et ne l'avait plus quitté. Dix-huit gigantesques panneaux, 250 peintures à l'huile aux teintes variant au gré du soleil… et de la cataracte qui grignotait peu à peu la vue de l'artiste. Une longue suite de couleurs où le vert d'eau et le mauve dominaient. J'étais allée à Giverny quelques années auparavant, je me suis promis d'y retourner.

En attendant, il est midi. Charlotte m'a lâchée pour rejoindre son frère, de passage à Paris. La tête pleine de couleurs pastel, je flâne sur le Boul'Mich' quand une voix m'arrête.

— Pauline, c'est bien vous ?

Appuyé sur sa canne, Paul Démogée me regarde, un sourire aux lèvres. J'avais oublié qu'il était si grand, large, massif. Et cette barbe fournie... ces yeux sombres au fond desquels danse une petite flamme. Mais oui, c'est bien celui qu'à L'Escale j'avais surnommé « l'ours ».

— Ne me dites pas que vous avez déjà déjeuné, poursuit-il, pas à midi ! Je vous enlève, c'est juste à côté.

Il désigne L'Écailler, un restaurant huppé du coin et en avant ! Je m'efforce de m'adapter à son pas. « Il parait qu'il vaut mieux ne pas lui parler de sa patte folle », m'a avertie Charlotte. Connaîtrai-je un jour la cause de son infirmité ?

Nous y sommes. En devanture, sur un lit de goémons, huîtres et coquillages variés. Passé la porte-tambour, un maître d'hôtel se hâte vers l'éditeur, m'adressant au passage un bref signe de tête.

— M. Démogée, votre table vous attend.

À sa suite, nous traversons la vaste salle de l'antique brasserie. De celles que fréquentaient autrefois Monet et ses amis : Cézanne, Pissaro, Degas et les autres. Bois sombre, banquettes de cuir, lustres-globes, miroirs piquetés de noir. Sans compter le murmure constant émanant d'un endroit « habité ».

À peine sommes-nous arrivés à la table, le maître d'hôtel aide l'éditeur à retirer sa gabardine, je me défais de mon blouson avant de me glisser à son côté sur la banquette. S'il savait que, dans la sacoche appuyée contre ma hanche, se trouve l'interview que je rendrai dans deux heures à Mme Garçia ! Après moult hésitations, je l'ai intitulée : « La Chair de la vie ».

CHAPITRE 23

— À la vérité, j'espérais vous rencontrer, déclare Paul Démogée, ça fait combien de temps ?

— Ça fait l'année dernière.

Mes premiers mots.

— Je me disais aussi...

Mais revoilà le maître d'hôtel, qui me présente une immense carte. Paul Démogée l'intercepte.

— Je ne vous ai même pas demandé si vous aimiez les fruits de mer. Si oui, me permettez-vous de choisir le menu ? Il se trouve que je suis dans les petits papiers du chef...

J'acquiesce. Et tandis qu'il commande, je m'efforce de remettre mes pieds sur terre. Cette rencontre, je l'espérais moi aussi. Tout en la redoutant. Va-t-il me parler de la fameuse interview qui m'a donné tant de tourments... et de bonheur ? Et s'il demande à la lire, lui avouerai-je qu'elle est dans ma sacoche, prête à être rendue ? Pas sûr.

Le maître d'hôtel s'éloigne avec la commande.

— Et ces fêtes ? demande Paul Démogée. Elles se sont bien passées ?

— Poissons et crustacés à gogo.

Il rit. Et, quand il rit, un petit éventail s'ouvre au coin de ses yeux.

— Vite, racontez-moi ça !

Je raconte les ratés du cœur de grand-mère et le brusque départ de la famille pour Nice. Je passe sur cette famille – trop compliquée –, préférant parler du prétendant de Charlotte-Marie qui n'a cessé d'enjoliver notre séjour, d'un prof d'histoire passionné, d'un village perché dans les Alpes et d'un massif d'hortensias bleu fil de fer. Pardon monsieur le jardinier ! J'ai bien fait, ce sont les hortensias qui l'intéressent le plus. Alors, j'y ajoute un couteau suisse appelé « couteau de survie » et une cloche à orage. Rien que pour voir le petit jeu de l'éventail au coin des yeux de l'ours.

— Vous racontez bien, Pauline. Ce sont les détails qui font vivre une histoire, comme un tableau. Ce reflet dans un miroir, ce bouton disgracieux telle une erreur, sur un fin visage de femme, cette fleur fanée oubliée sur un coin de nappe, évoquant une fête passée... En rapprochant l'œuvre de nous, le détail nous permet de nous y identifier.

... et de nous sentir moins seuls, comme je l'ai dit dans mon devoir ? Voilà que j'ai – presque – envie qu'il demande à le lire.

D'un seau à glace, le maître d'hôtel sort une bouteille de vin blanc. Après en avoir présenté l'étiquette à son client et le lui avoir fait goûter, il me sert. Je proteste.

— Et mon cours à la Sorbonne cet après-midi ? Vous voulez que j'aie la tête qui tourne ?

— D'après mes souvenirs, elle ne cesse guère de tourner. Et plutôt dans le bon sens, réplique-t-il en levant son verre.

Je fais de même avec le mien. Mon Dieu, si Charlotte me voyait !

– 24 –

Il m'a demandé de bien vouloir l'appeler par son prénom. J'ai accepté en l'avertissant qu'au début il m'arriverait de me tromper et il a ri. Un garçon en long tablier blanc a posé devant nous, sur un plateau, un buisson d'écrevisses, un bouquet de crevettes, un médaillon de langouste et, au centre de la symphonie rose, une jatte de bigorneaux assortis d'épingles pour les extraire de leur coquille. Le détail qui, me rappelant ceux dégustés dans mon enfance à même les rochers, donnait vie à l'ensemble et inscrirait ce moment dans ma mémoire.

Chacun son tour ! J'ai voulu savoir comment les fêtes s'étaient passées pour lui et il a fait la grimace : les fêtes, pas trop son truc ! À Noël, il avait réveillonné avec Élisabeth et la famille de celle-ci. Le 31, à L'Embellie en compagnie de quelques auteurs. Il était soulagé que la page soit tournée. Et, sous l'apparente légèreté de sa voix, j'ai reconnu l'homme blessé que j'étais allée interroger dans son bureau, sous le regard de René Magritte et de ses *Grandes Espérances*.

Presque vide à notre arrivée, la salle s'était remplie sans que je m'en aperçoive. L'atmosphère était légère, détendue.

Non loin de nous, un homme au ventre rebondi s'est levé et il a porté un toast en l'honneur de Bacchus, dieu du vin. Des coupes se sont levées tandis que des applaudissements retentissaient. « Chut », a grogné un client solitaire, et j'ai étouffé un rire. Les fruits de mer étaient savoureux, je me sentais bien, j'ai même accepté un second verre de vin, tant pis !

Paul Démogée – pardon, « Paul » – m'a interrogée sur mes études. Je lui ai raconté la Sorbonne, première année de licence de lettres, et lui ai confié qu'il me semblait être enfin à ma place, sur mon chemin, ma voie, alors qu'avant j'avais souvent l'impression de perdre mon temps. Il m'écoutait attentivement, sérieusement. Se souvenait-il de ce que je lui avais dit sur mon désir d'écrire ?

– Et votre Charlotte ? a-t-il demandé.

Quelle mémoire ! Je la lui ai décrite : simple, gaie… et curieuse comme une pie, tout en sachant garder les secrets.

– Alors, c'est une qualité, a-t-il remarqué. La curiosité est l'appétit de l'autre.

Ça m'a plu. Charlotte aurait jubilé.

– Avec tout ça, avez-vous eu le temps de lire mon petit livre sur Eugène Delacroix ?

– Votre « petit livre » ? me suis-je indignée. Mais il est passionnant. J'ignorais que Delacroix attachait tant d'importance à l'écriture, qu'il écrivait son journal en affirmant que tout commençait par là.

– Par la réflexion, a approuvé Paul. Et, en effet, l'écriture lui a permis de bâtir son œuvre.

Nous avions terminé les fruits de mer. Le garçon a débarrassé.

— N'oubliez pas que vous m'avez promis de me signer votre « grand » livre, ai-je rappelé à Paul.

— J'espère avoir d'autres occasions de le faire.

Il a prononcé ces mots et, d'un coup, son regard s'est chargé de souffrance. Que voyait-il derrière moi ? Qui ? Il a pris une longue inspiration, s'est éclairci la gorge.

— Et cette interview, vous en êtes où ?

Je lui ai appris que je l'avais terminée et la remettrais cet après-midi à Mme Garcia. Je craignais de m'y être montrée indiscrète. J'espérais qu'il ne m'en voudrait pas. Puis j'ai sorti de ma sacoche la page glissée entre deux feuilles de plastique et la lui ai tendue.

Sans un mot, il l'a prise et il s'y est plongé tandis que j'agitais la cloche à orage. Ça lui a pris pas mal de temps. À mon avis, il l'a lue au moins deux fois.

— Vous n'avez rien à craindre, Pauline. Votre texte est excellent.

Sa voix était grave et l'éventail fermé au coin de ses yeux.

— C'est moi qui ai baissé la garde lorsque vous êtes venue m'interroger, a-t-il ajouté. Il me reste à vous expliquer pourquoi.

Le garçon l'a interrompu en posant devant nous deux cafés « gourmands ». C'est-à-dire accompagnés de plein de zakouski sucrés. « Une tuerie », aurait dit la Poison. Paul a raconté.

Quelques années auparavant, il avait perdu son père et sa petite sœur, Camille, dans un accident de voiture, s'en tirant, lui, avec seulement une jambe abîmée. Son père était galeriste, passionné de peinture. Comme je l'avais écrit dans mon interview, il avait, lui, mis un certain temps à s'y intéresser, alors que Camille, dès l'enfance, passait ses journées à gribouiller sur tout ce qui lui tombait sous la main, au grand dam de sa mère et au bonheur de son père et de Paul qui, sous les gribouillages, percevaient un souffle, une sorte de feu, un talent en herbe. Au cours des années, ce talent s'était affirmé : Camille avait le sens des couleurs, une façon de les assembler, d'en tirer des paysages, des formes, des visages, qui impressionnait.

Loin d'être jaloux, Paul s'efforçait d'aider sa sœur. En commençant par tenter de la canaliser, car tout l'attirait, tous les genres picturaux, le dessin, pourquoi pas la sculpture comme Camille Claudel, maîtresse de Rodin, dont elle portait le prénom. « Pas un hasard », la taquinait son père, oubliant que celle-ci avait passé une partie de sa vie dans un asile psychiatrique.

C'est grâce à une rencontre, comme bien souvent, que Camille s'était décidée pour l'aquarelle – une « peinture aérienne », disait-elle. Celle de Paul Klee. Elle avait même condescendu à prendre des cours quand l'accident avait mis fin à l'aventure. C'était il y a trois ans, elle n'avait que 16 ans.

Paul s'est interrompu. Il a bu une gorgée de café. Je n'avais pas encore entamé le mien, ni les pâtisseries qui l'accompagnaient. Comme lors de l'interview, je me faisais toute petite, de crainte qu'il ne s'interrompe, sidérée par la confiance qu'il me manifestait à nouveau.

– Si Camille avait vécu, elle aurait le même âge que vous, Pauline, 19 ans. Il me semble sentir en vous une même ardeur, une même foi.

Un vertige m'a traversée. C'était donc elle, Camille, la petite sœur de Paul, qui nous avait réunis ? C'était à cause d'elle, grâce à elle, qu'il m'avait abordée à L'Escale ? Et elle encore qui assombrissait son visage, il y a un instant, alors que nous parlions de son essai ? Il a confirmé.

— Ce jour-là, entendant votre voix alors que vous discutiez avec votre amie, sans même savoir qui vous étiez, sans avoir vu votre visage, la similitude m'a frappé : un même feu. Élisabeth, elle aussi, l'a ressenti.

Je me suis tue, incapable de dire un mot. C'était trop, trop inattendu, trop beau. Et tellement triste aussi. Il a continué.

— La sagesse eût été d'en rester là. C'est d'ailleurs ce qu'Élisabeth me conseillait. Il se trouve que, sage, je ne l'ai jamais été.

Il m'a dit que l'écriture, comme la peinture, était un long chemin à la recherche de soi-même et de sa vérité, qu'il fallait prendre son temps pour le découvrir, alors que la hâte, l'urgence de vous exprimer, vous talonnaient. Que se faire publier aujourd'hui était une gageure et qu'il arrivait que de vrais talents ne soient pas reconnus. Et j'ai pensé aux accès de désespoir de l'ami de Charlotte, si désireux d'être entendu. Oui : peinture, écriture, musique, même combat. Même épreuve ?

— Si vous êtes d'accord, Pauline, je serai à vos côtés durant cette recherche. Comme je rêvais de l'être avec Camille.

Une onde de bonheur m'a soulevée. Oh oui ! La « petite sœur », ça m'allait. N'avais-je pas souvent rêvé d'un grand frère à qui je pourrais tout dire de mes hésitations, de mes doutes, de ma crainte de n'être pas à la hauteur. Un frère aîné plus indulgent que Bernadette, Claire et la Poison, moins concerné que les parents. Et qui aussi, surtout, me prendrait au sérieux, me traiterait en égale, pas comme une gamine naïve et rêveuse. Parce que, oui, la flamme qui portait Camille me portait moi aussi. À quel âge avais-je décidé d'écrire ? Quand avais-je entendu le premier « Va ! », le premier « Viens ! », soufflé à mon oreille par l'un ou l'autre de mes écrivains préférés au cours de mes lectures ? N'avais-je pas lancé un jour à la famille morte de rire : « Moi, je serai Victor Hugo ! » Et ces mots de Cécile à Nice, enthousiasmée par la phrase d'André Gide sur la beauté de la ville : « T'attends quoi, Pauline, pour faire aussi beau ? » M'en pensant capable ?

J'ai posé ma main sur celle de Paul.

– Oh oui, Paul. Merci.

Mais voilà qu'à nouveau la lumière de ses yeux s'éteint. Il demande l'addition, la signe, se lève. Je le suis vers la sortie dans la salle bourdonnante. Nous revoilà sur le Boul'Mich'. Ne fait-il pas plus froid ? Je frissonne. Il effleure mon front de ses lèvres, puis disparaît. A-t-il murmuré « pardon » ?

14 h 30. L'heure de retourner à la Sorbonne et rendre mon devoir à Mme Garcia.

C'est un bel appartement du boulevard Saint-Germain. Des fenêtres du salon, on peut voir le parvis de l'église, les terrasses éclairées des cafés, parfois passer le long tablier blanc d'un garçon.

Je suis arrivée dès 19 heures chez les Forestier, invités à dîner chez des amis aux environs de Paris. C'est la troisième fois que je babysitte chez eux et je commence à connaître le chemin : un petit quart d'heure du studio de Charlotte où je terminerai la nuit. Elle m'a fait faire un double de ses clés, j'ai chez elle pyjama et brosse à dents.

Tiffany et Eymerick, les enfants des Forestier ont 4 et 2 ans. Tiffany est sujette à des cauchemars. Il faut veiller à ce qu'elle ne trouble pas le sommeil de son petit frère en criant. Elle a besoin d'être longuement consolée. « C'est une âme inquiète », m'a confié sa mère. Eymerick, lui, s'annonce plutôt comme un dur à cuire. « Aucun enfant n'est le même », a-t-elle remarqué comme à regret.

Mes « patrons » seront de retour aux environs de minuit et lui me raccompagnera d'un coup de voiture : pas question de me laisser rentrer seule dans les rues désertes. Je me glisserai sans faire de bruit dans le studio de Charlotte, jusqu'au matelas préparé pour moi à côté du lit qu'elle partage avec son Hugo. Et demain matin, celui-ci parti pour Assas – master de droit –, nous aurons un long moment pour bavasser tranquilles. « Bavasser tranquilles ? » Si Charlotte se doutait de ce qui l'attend. SOS : Pierre, mon Pierre, vient de débarquer à Paris.

Pour l'instant, confortablement installée dans le salon des Forestier après avoir, avec leur bénédiction, puisé de quoi dîner dans le réfrigérateur bien garni, je lis l'un des ouvrages recommandé par Mme Garcia : *Le Joueur d'échecs* de Stefan Zweig. Un chef-d'œuvre écrit quelques semaines avant qu'il ne mette fin à ses jours.

Mais voilà qu'éclate un pleur dans la chambre de Tiffany, dont j'ai laissé la porte entrouverte. Je me précipite. Debout dans son lit à barreaux, en nage, ses fins cheveux blonds collés à son front, la petite fille sanglote. Je la soulève dans mes bras et m'installe avec elle dans le « fauteuil à cauchemars » prévu à cette effet près de la veilleuse-lapin. Je la berce longuement en lui fredonnant une chanson, peu à peu, elle se calme, se détache de moi, me fixe de ses grands yeux bleus : « Alors, c'était du pas vrai ? » Oui, ma chérie, du pas vrai, contrairement à Stefan Zweig, dont le cauchemar était bien réel : l'annexion de l'Autriche, son pays, par l'Allemagne nazie.

J'ai repris ma lecture : Tiffany ne m'a plus interrompue.

Il est 8 heures et le gentil Hugo vient de quitter le studio en laissant dans le coin cuisine deux croissants tièdes pris à la boulangerie d'en bas. Café prêt, Charlotte et moi nous attablons et je lui raconte « l'âme sensible » de Tiffany et son touchant « C'était du pas vrai ». Tout naturellement, j'en viens à mon âme à moi et au choc provoqué hier par l'appel de Pierre m'apprenant qu'il était là, revenu pour moi.

Voilà belle lurette que mon amie sait tout de mon premier amour, celui que, paraît-il, on n'oublie jamais. Elle est l'une des rares à qui j'ai confié que si j'y avais mis fin ce n'était pas pour épargner la compagne et la fille de Pierre, mais parce que je lui avais préféré l'abri de la maison.

— Il veut me voir. Libre à moi de l'appeler ou non. Si c'est non, il retournera aux États-Unis et je n'entendrai plus jamais parler de lui.

— Et tu lui as dit ?

— Que j'avais besoin de réfléchir.

Charlotte pose son croissant à côté de son bol et se penche sur moi.

— Tu l'aimes encore ? demande-t-elle avec précaution.

— Si je le savais ! Ça allait mieux, mais quand j'ai entendu sa voix, tout est revenu.

Son regard, ses mains sur moi, tous nos « beaux, nos tendres, nos merveilleux amours ». Sa détresse lorsque j'avais refusé de vivre avec lui, ma déchirure quand il était venu me voir avant son départ pour la Californie.

Charlotte réfléchit. Elle a la même expression sur son visage que lorsque Cécile lui avait demandé son aide pour sauver Côme. Et elle avait pris la bonne décision.

— Imagine que tu ne l'appelles pas : il disparaît de ta vie, tu n'entends plus jamais parler de lui. Ne risques-tu pas de garder en toi un très dangereux point d'interrogation ? observe-t-elle. Que serait-il arrivé si tu avais accepté de le voir ? N'as-tu pas laissé passer quelque chose d'important ? Une chance ? Je serais toi, je l'appellerais et je lui balancerais tout ce que tu viens de me dire. Si ton Pierre est un homme bien, il t'entendra et te laissera le temps de réfléchir.

Pierre, un homme bien ? Comment en douterais-je ? Et Charlotte a raison, je dois l'appeler. Si je renâcle, je sais pourquoi : c'est de moi que j'ai peur. De ma réaction quand je le reverrai... Je tombe dans ses bras, nous faisons l'amour, je me laisse à nouveau emporter ? Sans compter que, depuis son départ, j'ai arrêté de prendre la pilule ! Je me retrouve enceinte...

Là, malgré tout, je ne peux m'empêcher de sourire : il paraît que j'ai de l'imagination.

— Tu vois, rien que d'en parler, ça va déjà mieux, se trompe Charlotte pour une fois.

J'ai promis de réfléchir, j'ai mangé mon croissant et bu mon café tiédasse. Je n'ai pas parlé à Charlotte de ma rencontre avec Paul Démogée, même si ça l'aurait passionnée, même s'il me suffisait d'y penser pour qu'un grand souffle me traverse. « Si vous êtes d'accord, je vous accompagnerai. » Même si, sitôt rentrée à la maison, je m'étais jetée sur mes pages, avec ardeur, avec foi. « Vous n'avez rien à craindre, Pauline, votre texte est excellent. » Depuis son départ, ces mots tournent sans relâche dans ma tête. Suis-je digne de tant d'attention ?

Rebonjour, Friedrich Nietzsche. Ça faisait longtemps !

Mais neuf coups sonnent au clocher de l'église Saint-Sulpice. C'est mon tour de passer à la douche avant de partir pour l'école. Allez zou !

J'ai appelé Pierre et je lui ai dit que je voulais le rencontrer. Demain après-midi, après mes cours, cela lui conviendrait-il ? Il a dit oui sans hésiter et m'a proposé de nous retrouver au « pavillon de la Fontaine », dans les jardins du Luxembourg, tout près de la Sorbonne. Le pilier de bistro que j'étais devenue connaissait la brasserie, sans jamais y être entrée : porte-monnaie d'étudiante. Rendez-vous a été pris à 17 h 30.

J'ai raccroché, soulagée. J'avais craint que Pierre n'insiste pour que je vienne chez lui, mais non : Pierre est un homme bien !

« Quand cesseras-tu de t'habiller comme une collégienne ? » s'était moquée Béa la dernière fois que nous nous étions vues. Pour elle, s'habiller en collégienne c'était en montrer le moins possible. Ça me convenait. Pull, jean, baskets, ma tenue habituelle.

C'était une journée grise : vent et pluie. Les arbres du Luxembourg étaient en pleurs. Au loin, les lumières de la brasserie évoquaient un bateau en détresse : un signe ? Cesserais-je un jour de voir des signes partout ?

J'ai poussé la porte et baissé la capuche dégoulinante de mon K-way. Pierre était assis tout près dans la salle presque vide. Il s'est levé et m'a regardée venir vers lui – flic-floc – dans mes chaussures trempées. « Toute mouillée ! » a-t-il constaté en m'embrassant sur la joue avant d'attraper mon K-way et de le suspendre à un portemanteau. J'ai pris place en face de lui.

– Ils font d'excellentes crêpes ici, des crêpes à tout, ça te tente ? a-t-il demandé.

– Non merci, juste un thé, s'il te plaît.

Le garçon s'approchait, sans long tablier blanc, un garçon de café, c'est tout. Paul a commandé un thé vert « Fujiyama » et j'ai été touchée qu'il se souvienne de mes goûts, une bière pour lui. Le garçon s'est éloigné. Était-ce à moi de parler la première ? L'appréhension a noué ma gorge.

– Regarde, m'a-t-il ordonné.

Il a ouvert la tablette posée devant lui et un album intitulé « San Francisco, ville dorée » est apparu, illustré par la photo d'un pont suspendu, couleur or, émergeant du brouillard comme dans un conte. Sous son doigt, d'autres photos se succédaient : deux collines jumelles, un port plein de bateaux de pêche et de stands de coquillages, un ravissant village nommé Santa Barbara, une forêt de séquoias à faire se pâmer Bernadette, une île-prison nommée Alcatraz, d'autres… Et, pour terminer, une boîte de conserve ouverte contenant une rangée d'abeilles confites, ailes le long du corps, corset rayé, antennes et tout, au garde-à-vous dans le miel. Et il m'a semblé que, quelle que soit l'issue de cette rencontre, ce serait cette photo-là qui la fixerait dans ma mémoire.

Pierre a refermé sa tablette.

– Tu ne m'as pas quitté.

Alors qu'il m'avait fait, sincèrement, ses adieux à La Marette, je l'avais suivi partout. C'est avec moi qu'il avait découvert San Francisco et les splendeurs de la Californie. Nous nous étions baignés ensemble dans l'eau froide du Pacifique et, le soir, j'étais encore là, sur la plage, chantant et dansant avec des étudiants autour de feux de joie. Partout. Tout le temps. Et lorsque, au mois d'août, Brigitte l'avait rejoint comme prévu avec Angèle, sans qu'il ait eu besoin de le lui dire, elle avait compris qu'entre eux c'était terminé. Ils avaient décidé de se séparer sans bruit, sans larmes ni reproches, en faisant tout pour qu'Angèle n'en souffre pas. Brigitte : une femme bien !

Tandis que Pierre parlait, qu'il me faisait comprendre que pour lui rien n'avait changé, qu'il m'aimait toujours, je me souvenais de notre première rencontre dans un bar parisien avec Béa. C'était aussi une fin de soirée et il pleuvait comme aujourd'hui. Il m'avait demandé laquelle des quatre filles du docteur March – le livre de Louisa May Alcott – j'étais, pariant pour Jo, celle qui rêve d'écrire et d'être publiée, et j'en avais voulu à mort à Béatrice d'avoir trahi mon secret, mon désir fou d'être écrivain. Et quand, un peu plus tard, il m'avait lancé : « De quoi avez-vous peur ? », je m'étais sauvée pour ne plus voir ce sourire indulgent, comme devant une gamine trop rêveuse.

Il a plongé ses yeux bleu-gris dans les miens.

– De mon studio à San Francisco, on peut voir l'océan. C'est une ville incroyablement vivante, vibrante. Plusieurs reportages m'ont été commandés par des journaux, je m'y suis fait un grand nombre d'amis, j'ai décidé de m'y installer. Je suis sûr que tu t'y plairas.

« Plairas », une affirmation.

Il existait à San Francisco, a-t-il continué, de nombreux ateliers d'écriture, animés par des auteurs connus qui étaient eux-mêmes passés par là. Il avait cherché et en avait trouvé un destiné aux apprentis écrivains français.

– Tu en dis quoi ?

Il s'est tu et m'a regardée intensément.

Mais je parle, je parle… À toi maintenant. Raconte-moi, toi.

Et, dans sa voix, il y avait une sorte de prière.

J'ai laissé Brigitte de côté et je l'ai remercié de s'être donné tant de mal pour moi. Oui, l'écriture était mon but et, comme prévu, je m'étais inscrite en lettres à la Sorbonne. Je m'y sentais bien. Longtemps, je n'avais pas osé dire que je voulais être écrivain de peur des moqueries, c'était fini. Aujourd'hui j'assumais mes choix. Je lui ai aussi parlé de mon goût pour la peinture, de Charlotte ma nouvelle amie qui, elle, voulait être peintre, de nos fous rires, du baby-sitting et, pendant que j'y étais, de Noël à Nice.

Alors que j'avais appréhendé cette rencontre, que j'avais même préparé de belles phrases sur des bouts de papier pour bien me faire comprendre, les mots venaient tout seuls, naturellement, spontanément. La vérité, un point c'est tout ! C'est tricher qui est difficile, louvoyer, se chercher des excuses. Je n'avais pas besoin d'excuses, droit au but : celle que Pierre avait connue et aimée, celle qui fuyait, se fuyait, la « mademoiselle Petit Bateau » qui fondait dans ses bras n'était plus. J'avais grandi et trouvé ma place : ici. Je ne le rejoindrais pas dans son studio en Californie d'où l'on voyait le Pacifique. Tout simplement, je ne l'aimais pas assez.

Tandis que je parlais, j'avais pu voir son regard s'assombrir, son visage se défaire. Quand j'ai eu terminé, très vite, comme pour retarder le moment où il lui faudrait accepter cette vérité, il m'a demandé des nouvelles de ma famille, cette famille dont il avait rêvé de faire partie, lui qui n'en avait pas eu. Et pour éviter qu'il ne souffre davantage, je lui ai seulement dit que tout le monde allait bien.

D'autres personnes s'étaient installées dans la brasserie, dont un couple avec deux enfants à la table voisine. Une bonne odeur de crêpe au chocolat se répandait.

— Tu as rencontré quelqu'un, a constaté Pierre.

Je lui ai répondu que oui : un éditeur qui me trouvait du talent, un ami qui m'avait proposé de m'accompagner sur le chemin de l'écriture. Et, évoquant Paul, me souvenant de sa fuite la dernière fois que nous nous étions vus, les mots tremblaient un peu sur mes lèvres.

— Et il a quel âge, ton éditeur ?

— La trentaine.

Et pour qu'il ne se trompe pas sur la nature de notre relation, j'ai ajouté qu'il avait une compagne. Je lui ai même dit son nom : « Élisabeth ». Et quand il a remarqué avec un drôle de sourire : « Ça ne t'a pas toujours gênée », j'ai mieux compris la définition de l'humour : « le sourire du désespoir ».

Il a fait signe au garçon : l'addition. Je n'avais pas touché au petit paquet de biscuits secs servis avec mon thé. Cécile l'aurait empoché. Un jour, papa lui avait demandé si elle se préparait pour la guerre, car elle raflait aussi les morceaux de sucre. « Mais, papa, c'est jamais fini, la guerre », avait-elle répondu avec le plus grand sérieux. Dans le cœur des hommes ?

Lorsque nous sommes sortis, la pluie avait cessé de tomber. Passant près de la fontaine dont le pavillon portait le nom, Pierre m'a appris qu'elle avait été commandée par Henri IV pour sa seconde épouse, Marie de Médicis. Épouse à laquelle, revenant des combats, il envoyait des hommes à cheval porteurs de ce message : « Ne vous lavez pas, Madame. J'arrive. »

Parvenus à l'entrée du RER, il m'a prise dans ses bras et il a murmuré : « Alors, c'est fini ? » Comme un enfant craintif implore : « C'était du pas vrai ? »

Je n'ai pas répondu. C'était du vrai.

Rentrée à la maison, j'ai détaché du mur de ma chambre la photo du couple-témoin qu'il m'avait offerte avant de partir pour les États-Unis. J'ai remercié cet homme et cette femme dont je ne connaîtrais jamais ni le nom ni le visage, de nous avoir accompagnés. Demain, je la monterais au grenier où elle rejoindrait les cartes de « bonne année » que l'on ne relit jamais. Mais comment la jeter ?

– Pouvons-nous nous voir ? a demandé Paul. Je serai à L'Embellie tout l'après-midi. L'heure qui vous conviendra.

Et, avant que j'aie pu répondre :

– Pardonnez-moi pour l'autre jour, Pauline, cela ne se reproduira plus.

– Je sais, Paul ! 15 heures ?

– Entendu.

« Entendre », en grec *akouo*. « Considérer ce qui a été dit ». « Apprendre de l'autre ». J'étais en compagnie d'Homère, préparant mon prochain cours de grec, quand Paul m'a appelée. Et, après avoir raccroché, même si je n'avais jamais imaginé qu'il puisse revenir sur sa proposition de m'aider, j'ai mieux respiré. Presque une semaine de silence, ça m'avait paru long.

11 heures, samedi, déjeuner libre, rare ! Les parents sont invités chez des amis, Bernadette est avec Stéphane, Claire à Pontoise, Cécile, je ne sais où. Ça fait bizarre d'avoir La Marette pour moi toute seule.

La Marette... la maison... Où se trouve celle de Paul ? À 30 ans, il doit bien avoir son toit à lui ! Est-ce celui de

L'Embellie, les trois petites fenêtres alignées au second et dernier étage ? À moins qu'il ne partage le toit d'Élisabeth ? Passe devant mes yeux l'image de la belle jeune femme un peu hautaine qui m'avait accueillie lorsque j'étais venue interviewer Paul. « Elle m'a conseillé d'en rester là avec vous », m'avait-il révélé. Craint-elle que je ne réveille de trop douloureux souvenirs ?

Bon, bien, quoi qu'il en soit, cette fois il n'y coupera pas : il me signera son essai. Et, pour être sûre de ne pas l'oublier, je le glisse dans ma sacoche. Avant de revenir à Homère et ses mots majuscules.

Je suis arrivée un peu en avance à Saint-Germain-des-Prés et j'en ai profité pour flâner. Le soleil était de sortie, des odeurs de printemps flottaient du côté des marronniers, même s'il faudrait l'attendre encore un bon mois. Les terrasses du Flore et des Deux Magots étaient pleines. J'y ai imaginé Balzac, mais aussi Jean Cocteau, et Sartre, et Juliette Gréco. Sans compter, du côté des peintres, Monet, Picasso, Delacroix ? Je sais qu'il ne faut jamais dire : « De mon temps ». N'empêche que j'aurais bien aimé faire un tour du côté de ce temps-là !

En attendant, trois coups ont fait vibrer le clocher de l'église : l'heure de sonner à la porte de L'Embellie.

Paul portait un gros pull torsadé grège qui allait bien avec sa barbe et ses épaules larges : trappeur ? Bûcheron ? Ours blanc ?

– Pauline, enfin !

Il ne m'a pas serré la main, il a juste posé sa patte sur mon épaule et j'ai préféré. Sur le guichet-accueil, il m'a semblé que la pile de manuscrits avait encore augmenté.

— Comment voulez-vous lire tout ça ? avait remarqué l'hôtesse avec un soupir.

— Seront-ils lus ? ai-je demandé à Paul.

— Parcourus, a-t-il répondu avec franchise. Par ceux qui travaillent ici, plus quelques amis volontaires. Les comités de lecture n'existent plus, trop coûteux. Et trop de manuscrits. Ceux notés « intéressants » seront, eux, lus attentivement.

Et je me suis sentie privilégiée : moi, je connaissais le patron !

La maison était silencieuse : personne ? Alors que je m'apprêtais à suivre Paul dans son bureau, il m'a entraînée jusqu'au second étage, devant les trois portes correspondant aux fenêtres sous le toit. Il a poussé celle du milieu.

— Bienvenue chez Camille, a-t-il dit.

Les cloisons avaient été abattues pour ne donner qu'une seule et vaste pièce dont les murs étaient couverts de dessins et d'aquarelles. Deux couleurs dominaient : le bleu foncé et l'orange, souvent mêlées. Des taches de couleurs vives derrière lesquelles on pouvait distinguer des paysages, une maison aux murs blancs, un lac, quelques arbres. Parfois, un personnage, une silhouette semblant s'éloigner. Sur plusieurs toiles, entre deux ailes, deux rochers, deux nuages, un visage rond d'enfant s'inscrivait, très pâle, les yeux fermés, cils en corolle, bouche ne formant qu'un seul trait. Un visage dérangeant qui m'a rappelé le tableau de Paul Klee : *Le Senecio*. Paul Klee qui, selon Paul, avait amené Camille à privilégier l'aquarelle.

À l'une des extrémités de la pièce se trouvaient une table et des chaises, prévues pour une conférence ? Un débat ? Et, sur le mur au-dessus de la table, le portrait d'une toute jeune fille brune aux yeux sombres, au regard de défi, qui semblait lancer : « Eh bien oui, c'est moi, je suis là ! » Et j'ai compris la fuite de Paul après qu'il m'avait proposé de m'aider.

— Je ne prendrai pas sa place, lui ai-je promis.

Puis nous étions dans son bureau. À l'aide d'une petite bouilloire, il avait préparé un thé pour moi, un café pour lui. J'avais retrouvé le tableau de Magritte, l'arbre fragile visant le ciel. Il m'a semblé qu'il m'adressait un message. Et si c'était simplement : « Ose » ?

— Et vous, Pauline, parlez-moi de vous, de votre famille. J'en sais si peu de chose.

Je lui ai parlé de La Marette en son jardin, mon père médecin, ma mère à la rencontre des perles rares du passé, mes trois sœurs. Des millions de bagarres, de portes claquées, de brouilles à mort. Des millions de réconciliations, de petits bonheurs qui font le grand, de joies. Il souriait en m'écoutant.

— Un jour, peut-être, je le raconterai, ai-je conclu, même si ça peut paraître bête à certains.

— Et pourquoi « bête » ?

— Il paraît que ça ne se fait pas, de parler de bonheur.

Paul a ri :

— Mais vous oserez, n'est-ce pas ?

J'ai à nouveau regardé le tableau de Magritte, ses *Grandes Espérances*, et j'ai osé.

— Paul, quand vous remettrez-vous à peindre ?

« Va », lui avait dit Eugène Delacroix.

Son regard s'est assombri.

— Je préfère ne pas en parler, Pauline.

— Alors parlez-moi de votre famille. Moi aussi, j'en sais si peu.

Il a souri tristement.

— Une famille bien différente de la vôtre : deux enfants seulement, Camille et moi. Un père souvent absent. Vous ai-je dit qu'il était galeriste ? Nous avons passé toute notre enfance et une partie de notre adolescence dans la vallée de Chevreuse. Après l'accident, ma mère y est restée, faisant face courageusement à un deuil impossible. Nous nous voyons souvent. Il lui arrive de s'installer pour quelques jours chez moi à Paris.

Le fixe a sonné sur son bureau.

— Pardonnez-moi, Pauline.

Il s'est éloigné pour répondre. « Un deuil impossible »... bien sûr. J'ai bu quelques gorgées de thé. Ainsi, il n'habitait ni ici, ni chez Élisabeth.

— C'est entendu, ma chérie, a-t-il dit avant de raccrocher.

Il est revenu vers moi

— C'était Élisabeth. Elle voudrait vous rencontrer.

— Mais pourquoi ? Ne vous a-t-elle pas déconseillé de me revoir ?

Le cri m'avait échappé. Moi, aucune envie de rencontrer la hautaine belle dame.

— Nous n'avons pas de secrets l'un pour l'autre. Elle sait que je vous ai revue depuis notre rencontre à L'Escale et souhaite seulement vous connaître mieux. Elle propose un apéritif chez elle, en fin d'après-midi, la semaine prochaine.

— Vous serez là ?

— Mais bien sûr !

— Alors d'accord. Ça marche.

151

C'est dans le RER qui me ramenait à La Marette que je me suis aperçue que l'essai de Paul était toujours dans ma sacoche. Comment aurais-tu qualifié ça, camarade Nietzsche ? Acte manqué ?

– 28 –

Vite, voir Charlotte et tout lui raconter ! En commençant par Pierre. La remercier de m'avoir aidée à voir clair
en moi. Sans ses conseils, durant combien de temps encore
aurais-je tergiversé avec moi-même : « Je l'appelle ? Je l'appelle pas ? » « Je le vois ? Je le vois pas ? » Grâce à Charlotte,
tout avait, si l'on peut dire, « coulé de source », au pavillon
de la Fontaine.

Lui parler aussi de Paul et de sa petite sœur Camille,
si douée. De l'accident, l'épouvantable épreuve et, malgré
tout, de sa proposition de m'accompagner dans ma démarche
d'écrivain. Ce bonheur teinté de tristesse auquel je n'osais
pas encore croire tout à fait. Charlotte saurait m'entendre.
En grec : « Akous ».

L'occasion m'en a été donnée ce matin de fin février par
« cette chère Mme Garçia » après qu'elle nous a rendu nos
copies-interviews, assorties de notes et appréciations. Avec 16
sur 20, j'étais seconde, distancée d'un point par Maximilien
qui, ne connaissant pas d'artiste digne d'être interrogé par lui,
avait choisi de poser ses questions à… Jacques Brel, ce qui

lui avait valu les applaudissements de la classe. En ce qui me concernait, Mme Garcia avait apprécié le titre : « La chair de la vie », qui, selon elle, illustrait parfaitement mon texte. Et j'avais eu mon heure de gloire en expliquant que la formule venait du grand violoniste Isaac Stern décrivant l'émotion qu'il éprouvait durant ses concerts et transmettait au public en plongeant son archet dans cette chair à vif. Avec un 12, Charlotte s'était déclarée satisfaite.

Il fait beau. En sortant de la Sorbonne, nous sommes passées au snack et avons acheté des bagels-frites-Coca, que nous sommes allés déguster sur un banc au « Luco », non loin du pavillon de la Fontaine où je lui ai appris que Pierre m'avait invitée. J'ai raconté à mon amie sa proposition de le rejoindre à San Francisco et la raison de mon refus : la fille incertaine, apeurée, qu'il avait aimée n'existait plus. Celle que j'étais devenue ne l'aimait pas assez pour vivre avec lui aux États-Unis ou ailleurs. Et cette fois, ce ne serait pas mon trop grand attachement à la maison qui m'empêcherait de le suivre, mais tout simplement ma volonté de mener à bien mes projets. Me souvenant de son visage lorsqu'il avait compris que c'était fini, il m'a semblé entendre à nouveau tomber la pluie, tandis que les vers de Paul Verlaine me revenaient : « Il pleure dans mon cœur, comme il pleut sur la ville »… Et les larmes que j'avais retenues ce soir-là ont alourdi ma poitrine.

– Alors, ça veut dire que tu restes ? Waou ! s'est exclamée Charlotte sans nuance et je ne lui en ai pas voulu.

Midi et demi. À présent, tous les bancs étaient occupés autour de nous : mères de famille, collégiens, étudiants. Au milieu des pigeons, des moineaux rebondissaient, chapardant quelques miettes de pain. Charlotte avait presque terminé son bagel, je me suis attaquée au mien. J'avais faim quand même.

— Et à part ça ? a-t-elle demandé en s'étirant.

— Il faut que je te parle de Paul.

— PAUL ?

Le prénom m'avait échappé. Il y a des habitudes qu'on prend vite.

— Nous nous sommes revus plusieurs fois.

— Et tu ne m'as rien dit ?

— Si tu ne m'interromps pas tout le temps, je te dis tout.

Elle a mis deux doigts sur ses lèvres. J'ai commencé.

Je connaissais la cause de la « patte folle » de Paul Démogée. Un accident de voiture qui avait coûté la vie à son père et à sa petite sœur Camille. Je lui ai raconté le don de celle-ci pour la peinture et la mission que Paul s'était donnée de la guider et de l'aider à se faire un nom. Il m'avait montré ses aquarelles. J'avais été impressionnée.

— L'accident a tout arrêté. C'était il y a trois ans. Camille avait 16 ans. Si elle avait vécu, nous aurions le même âge.

— Je peux ? a demandé Charlotte en levant le doigt.

— Vas-y.

— C'était Paul qui conduisait quand l'accident s'est produit ?

La question m'a prise de court. Je ne me l'étais pas posée. Pour moi, c'était son père, Camille à côté, Paul derrière. Mais pourquoi pas en effet ? L'idée m'a pétrifiée.

— De quoi l'empoisonner toute se vie, a constaté Charlotte.

Et lui faire abandonner la peinture pour se punir ?

– Il me trouve du talent, ai-je repris, la gorge nouée. Il m'a proposé de me guider. J'ai accepté.

– Paul, ton coach ? Rien que ça ?

– TOUT ça.

Elle a réfléchi. « La curiosité est l'appétit de l'autre », avait remarqué Paul à son sujet. Je n'étais pas certaine d'être prête à affronter la sienne.

– Toi qui tiens tant à être traitée en adulte, ça ne te gêne pas de prendre la place de la petite sœur ?

– D'abord, il n'est pas question une seconde que je prenne la place de Camille. Ensuite, si tu entendais Paul parler d'elle, avec cette admiration, cette confiance, tu ne te poserais même pas la question. Il la porte aux nues.

– « Porter au nues », ça rime avec « muse », s'est amusée Charlotte. Elle en pense quoi, l'Élisabeth ?

– Je devrais être fixée bientôt : elle veut me rencontrer.

– Quand ?

– Je n'en sais rien. La date n'a pas encore été fixée.

– Ils couchent ensemble ?

La brutalité de la question m'a décontenancée. Bien sûr, je me l'étais posée moi aussi. Sans pouvoir donner de réponse. Et après ?

– Je n'en sais rien. Et tant que cela ne compromet pas ses projets pour moi, quelle importance ? ai-je répondu.

Charlotte a brandi sa canette de Coca.

– Alors, à toi, à vous et à ta belle carrière. Et un peu à moi sans qui rien ne serait arrivé.

Elle n'avait pas tort. Si elle ne m'avait pas tannée avec Paul : « Qu'est-ce que tu attends pour l'appeler ? » « Vous

vous voyez quand ? » « Il serait temps de te décider. » Où en serions-nous ? Il y a des questions qui donnent le vertige.

J'ai heurté ma canette à la sienne. Là-haut, le soleil était une promesse dans un océan bleu.

– 29 –

Avait-il vraiment existé, ce fabuleux Noël passé chez
grand-mère à Nice ? Ces quelques jours à peine troublés par
l'arrivée de Claire, où le temps coulait comme une rivière
tranquille dans des paysages apaisés. Ces repas-partage égayés
par M. Augustin – je préférais l'appeler « monsieur » –, les
mimosas en fleur de la promenade des Anglais, la baie des
Anges comme la promesse d'une vie nouvelle, un village perché, le calme jardin de la résidence ?

Depuis le retour à La Marette, la paix était rompue, la
calme rivière débordait : le retour de Pierre des États-Unis
et mon refus de l'y rejoindre, vivre avec lui… Les révélations
de Paul sur l'accident qui avait coûté la vie à son père et à
sa sœur, son offre de m'aider dans ma carrière d'écrivain…
Élisabeth. Je me sentais emportée par un courant que je ne
contrôlais pas et dont j'ignorais où il me menait.

Alors, de plus en plus souvent, je fermais les yeux, je me
glissais dans un jardin qui sentait bon le jasmin et l'amaryllis, je prenais place dans un fauteuil parmi de sages grandes
personnes aux cheveux blancs et je les écoutais parler à voix

basse d'événements minuscules, de la plus grande importance pour elles, tandis qu'un jardinier plein d'expérience disposait du fil de fer au pied d'un massif d'hortensias.

Il ne manquait plus que Bernadette s'ajoute à la liste des tempêtes.

« Méfie-toi de mars et de ses giboulées », dit le dicton. Ce premier samedi de mars, on a ouvert grand les fenêtres du salon pour profiter d'un ciel intact où le soleil règne sans partage.

Il est près de midi, maman s'affaire du côté de la cuisine, d'où montent de bonnes odeurs de poulet grillé. Papa feuillette son journal. La Poison a le nez dans son ordinateur, moi dans un livre, quand, précédée par le grondement de sa moto, Bernadette fait irruption au salon, son sac de voyage à l'épaule, qu'elle laisse tomber avec fracas à ses pieds : boum !

– Voilà, c'est fait ! Depuis le temps qu'il nous cassait les couilles avec ses ultimatums, il a eu sa réponse : c'est niet !

Je peux entendre le soupir de maman. Plus grossier est le langage de l'intransigeante, plus lourde est sa colère. Sa détresse ?

– Non à quoi ? demande papa, résigné.

– À sa majesté Hubert de Saint-Aimond et à ses mises en demeure d'épouser son fils. Comment déjà ? Devant Dieu et devant les hommes. Surtout devant Dieu.

« Si tu veux savoir, je ne le supporte plus », m'avait lancé Bernadette à Nice, dans la chambre d'amis de M. Augustin, et j'avais eu peur qu'il ne s'agisse de Stéphane.

– Et ton Stéphane, il en pense quoi ? me devance maman.

– Il ne rêve que de ça : robe blanche, tenue de pingouin, demoiselles d'honneur… Le tout suivi en express par la robe en dentelle d'un baptême.

– Et tu lui as dit quoi exactement à Hubert ? intervient la Poison avec gourmandise.

Bernadette ricane :

– Ses quatre vérités : qu'il n'était qu'un aristo borné, incapable d'entendre les autres, ni de piger que le monde avait changé.

– L'aristo, les autres, le monde, ça fait trois, calcule Cécile. Et la quatrième vérité ?

– Merde. Je lui ai dit merde.

Un silence consterné s'abat sur le salon. Derrière les fenêtres ouvertes, le soleil brille pour rien. « Merde » au grand avocat, à l'homme de principes estimé de tous, au père de celui qu'elle aime. On n'ose imaginer les dégats. Je soupire :

– Pauvre Stéphane.

– Pauvre Stéphane s'est rangé sans hésiter du côté de papa, alors, lui aussi : out !

Notre père à nous se lève, indigné.

– Il y a un mot que j'espérais t'avoir appris. Au moins un : le « respect ». Respecter les convictions des autres, qu'on les partage ou non.

– Ses convictions, Hubert peut se les foutre…

– Ça suffit ! tonne papa. À moins que tu ne tiennes à te retrouver ce soir sans toit.

Bernadette récupère son sac et nous tourne le nos. La porte de sa chambre claque. On mangera le poulet sans elle. Moins le croupion, son morceau préféré.

16 h 30. No news de Bernadette, mais sa moto est toujours là. Et nous, toujours dans le salon, attendant quoi ? En la menaçant de la priver de toit, papa y est allé fort ; à mon avis, il le regrette. Rarissime qu'il prononce des mots définitifs. Il dit qu'il faut toujours laisser une ouverture.

Me revient une autre grande scène, au lendemain de ses 18 ans. Son bac en poche – mention « bien » –, Bernadette avait annoncé aux parents qu'elle n'entrerait pas dans la grande école de commerce dont ils rêvaient pour elle, mais se consacrerait désormais à la défense des arbres. Même s'il n'avait rien contre les arbres, papa avait parlé d'inconscience, d'irresponsabilité. Bernadette, qui n'avait que le mot « indépendance » à la bouche, imaginait-elle qu'elle y parviendrait comme ça ? À ses arguments sonnants et trébuchants, elle avait répondu qu'elle serait riche de tous les arbres, toutes les forêts qu'elle sauverait. Applaudie par ses sœurs, discrètement saluée par maman, au courant de sa vocation depuis qu'à 7 ans elle avait assisté au spectacle de sapins de Noël broyés, réduits en poudre, transformés en compost.

Les trois notes d'un SMS, retentissant sur mon portable, me ramènent à la réalité. Sur l'écran, le nom de Stéphane s'affiche. « Peux-tu me rappeler, s'il te plaît ? » Le cœur battant, je referme mon livre, me lève et quitte le salon, suivie par trois paires d'yeux. Il y a des moments où la famille… Je grimpe l'escalier en m'assurant de n'être pas suivie – devinez par qui ! Referme la porte et appelle Stéphane.

– Tu es seule ? demande-t-il.

– Dans ma chambre.

– Bernadette vous a dit ?

– Oui.

– Elle est là ?

– Ici, je suppose. En tout cas, sa moto n'a pas bougé.

Silence à Neuilly. Je soupire :

– Steph, je suis triste.

– On peut se voir ? demande-t-il très vite.

– Bien sûr. Quand tu veux.

– Le temps que j'arrive. J'ai pensé à l'église de ton patelin. Au moins, on sera sûrs de ne pas croiser ta sœur.

L'église ? Il n'y a que lui pour avoir une telle idée. Même s'il n'assiste pas régulièrement à la messe, il dit que toutes les églises sont sa maison. Évidemment, maman se prosterne.

– Le samedi, il y a vêpres.

– Tant mieux. Dans une petite heure, ça te va ?

– Ça me va.

« Tant mieux » ?

Je raccroche, émue, heureuse, flattée que Stéphane ait fait appel à moi. Depuis qu'on a sauvé ensemble un chêne de 300 ans menacé par le maire d'un village, désireux de construire un rond-point à sa place[1], un lien s'est formé entre nous.

– C'était qui ? demande la Poison comme je reviens dans le salon.

– Un copain.

Elle désigne mon bracelet-jonc-Béa-Héloïse.

– Un ou UNE ?

La grande plaisanterie depuis mes confidences sur la plage de Nice.

Je ne daigne pas répondre. Tout le monde rit, même papa. Je reprends ma lecture.

---

1. *Les Quatre Filles du docteur Moreau.*

– 30 –

En latin, « vêpres » veut dire « coucher du soleil ». Il paraît que nos très très lointains ancêtres, voyant celui-ci disparaître le soir, redoutaient de ne le revoir jamais. Alors, ils se jetaient à genoux et suppliaient les dieux de le leur rendre. Ils leur faisaient des offrandes : des métaux précieux, des tissus, des poteries. Ils sacrifiaient aussi, pour obtenir leur grâce, des animaux, parfois une jeune vierge chargée d'un message. Et lorsqu'à l'aube revenait la lumière, ils remerciaient le ciel avec des danses et des chants.

Quand je suis arrivée devant l'église de la Nativité-de-la-Sainte-Vierge, le porche était ouvert à deux battants et les fidèles commençaient à entrer. Stéphane m'attendait dans la dernière rangée de chaises paillées, reliées les unes aux autres par une barre de fer, le père Gosier ayant constaté que leur nombre diminuait. On s'est embrassés et je me suis assise près de lui. Quelqu'un jouait de l'harmonium, un peu partout des bougies et des cierges brûlaient, finalement c'était une bonne idée de s'être donné rendez-vous ici. D'autant que l'église n'est jamais pleine pour les vêpres, auxquelles assistent surtout des vieux.

À voix basse, Stéphane m'a raconté.

Entre son père et Bernadette, les choses avaient toujours été compliquées. Convaincue à tort qu'il ne l'accepterait jamais, Bernadette se tenait à distance. Un peu moins avec sa mère depuis que, avocate elle-même, elle avait défendu Claire, truandée par son coach. Au printemps dernier, Stéphane avait demandé à son père l'autorisation de s'installer avec Bernadette dans la petite maison près de la piscine, autrefois occupée par un gardien. Celui-ci avait accepté à la condition qu'ils régularisent leur situation, craignant le mauvais exemple donné à Éric, le jeune frère de Stéphane, du genre rebelle. Des semaines avaient passé, des mois...

– J'ai tout tenté pour convaincre ta sœur, mais rien à faire. Je ne comprends pas. On s'aime pourtant ! Et, marié ou non, je ne l'obligerai à rien.

Et ce matin, à bout de patience, Hubert était venu les trouver et il avait sommé Bernadette de prendre une décision.

– Bernadette l'a insulté, a grondé Stéphane. Elle l'a traité de façon inacceptable. J'ai eu le malheur de le défendre, alors je me suis fait virer moi aussi.

Sa voix s'est cassée. J'ai fait semblant de ne rien remarquer. Hubert de Saint-Aimond était bien du genre à lui avoir seriné durant toute son enfance qu'« un homme ne pleure pas ». Alors qu'un homme qui pleure, ça peut être beau, ça compte double. Et même si ça n'avait rien à voir, j'ai eu une pensée pour Côme.

Six coups ont sonné au clocher. La musique de l'harmonium s'est déchaînée tandis que le père Gosier, en surplis blanc, avançait lentement dans la travée, précédé par les enfants de chœur. Parvenu à l'autel, il a béni l'assistance avant de s'asseoir, et le « chœur des chèvres », ainsi baptisé par Bernadette – encore elle –, est entré en action, chevrotant à pleins poumons les louanges du Seigneur, tandis que, d'une lampe en fer forgé posée devant l'autel, montaient de bonnes odeurs d'encens.

— Pour finir, tout ça n'est qu'une foutue question d'orgueil, s'est révolté Stéphane. Et comme ils sont aussi têtus l'un que l'autre, aucun des deux n'acceptera jamais de faire le premier pas.

Il a pris ma main.

— Pauline, ne pourrais-tu pas essayer de parler à ta sœur ? Tenter de la convaincre de me voir, que je puisse au moins lui expliquer ! Peut-être que toi, elle t'écoutera. Je t'en prie.

J'ai réentendu le « merde » lancé à la figure d'Hubert. J'ai promis quand même.

Le père Gosier a parlé de la « Parole », celle de la paix avec un grand P. Il a parlé des mots qui rassemblent et aussi de ceux qui détruisent et parfois tuent. Puis la musique a repris et, cette fois, toute l'église a chanté.

Et moi, je ne pouvais m'empêcher de penser à l'appel de Paul, ce matin, et au rendez-vous qu'il m'avait donné mardi, dans trois jours, à L'Embellie, afin que nous puissions nous rendre ensemble à l'invitation d'Élisabeth. Et l'angoisse m'étreignait comme si, de ce côté-là aussi, la guerre était déclarée.

– 31 –

C'est un immeuble classe à trois pas de la maison d'édition, 4ᵉ étage, ascenseur. Paul frappe deux petits coups à la porte. Élisabeth ouvre aussitôt, lui sourit, me tend la main.

– Merci d'être venue, Pauline. On s'appelle par nos prénoms ?

Elle porte une longue jupe colorée et un body noir moulant sur lequel tombent ses cheveux détachés, châtain mêlé de roux : auburn ?

Nous voici dans le salon, un vrai, beau salon peuplé de meubles anciens, tableaux aux murs et ribambelle de photos sur la tablette de la cheminée.

– Je vous en prie, asseyez-vous.

La maîtresse de maison me désigne le canapé et prend place près de moi. Je sens son parfum : « œillet ». Une grande marque, forcément. Claire dit que sur certaines femmes les parfums ne tiennent pas. À peine vaporisés, ils se dissipent, on n'en connaît pas la raison. Quand j'ai émis l'idée que le parfum personnel de ces femmes-là pouvait anéantir l'artificiel, elle a ri aux éclats : encore un tour de mon imagination.

– Que voulez-vous boire ? demande Élisabeth en pointant la rangée de bouteilles sur la table basse.

Vin blanc, whisky, Coca, eau gazeuse. Le Coca prévu pour mes 19 ans ?

– Pauline est comme moi grande amatrice de vin blanc, déclare Paul en m'adressant un clin d'œil et je revois une table à « L'Écailler » et une jatte de bigorneaux.

Il prend la direction des opérations, sert un whisky-Perrier à Élisabeth avant de verser le vin blanc dans deux verres ballons et me tendre le mien. Puis il s'assoit dans un fauteuil près de la cheminée, sa canne suspendue au dossier. « Était-ce lui qui conduisait ? » a demandé Charlotte.

– Paul m'a dit que vous aviez une grande famille ? attaque Élisabeth. Trois sœurs ?

« Nous n'avons pas de secrets l'un pour l'autre »…

– C'est ça.

– Et vous n'habitez pas Paris, je crois.

– J'habite à Jouy-le-Moutiers, dans le Val-d'Oise.

– Ce qui donne les « Jocassiens » et les « Jocassiennes », intervient Paul gaiement. Quant aux habitants de la vallée de Chevreuse, comme Élisabeth et moi, ce sont les « Chevrotins » et les « Chevrotines », qui dit mieux ?

Je m'efforce de rire : « Quand un Chevrotin rencontre une Jocassienne »… D'un mouvement brusque, Élisabeth se lève, attrape une photo sur la cheminée, me la tend.

– Nos maisons, dans la fameuse vallée, très exactement à Saint-Rémy-lès-Chevreuse, commente-t-elle. Nos parents étaient amis, nous y sommes nés la même année, le même jour. On nous appelait « les jumeaux ».

Elle a parlé d'une seule traite, cherchant à prouver quoi ? La photo montre deux imposantes maisons, dont l'une à colonnades, presque un château. Une large allée à lampadaires les borde. On aperçoit au loin la masse sombre d'une forêt.

— Et, en bons Chevrotins que nous étions, nous faisions les quatre cents coups, renchérit Paul allégrement.

Il s'efforce de détendre l'atmosphère, je voudrais l'y aider, mais m'en sens incapable. C'est le regard de cette femme sur moi, froid, résolu, calculateur ? En acceptant son invitation, il me semble être tombée dans un piège. Lequel ? Je ne saurais le dire, mais c'est bien la guerre. Et soudain quelque chose me frappe. Maisons, parents, enfants, occupations, pas une seule fois le nom de Camille n'a été évoqué : le point sensible ?

À présent, Élisabeth parle de son adolescence commune avec Paul : mêmes collège et lycée, mêmes orientations, même club de tennis et d'équitation. Adolescences dorées. Je trempe mes lèvres dans le vin blanc, pioche un toast au saumon. Pas d'autre choix, la Poison râlerait.

— Mon père était architecte, poursuit-elle. Il aurait bien voulu me voir prendre la relève, mais j'avais une passion pour la littérature et rêvait d'ouvrir un jour une maison d'édition. Ainsi est née L'Embellie, dont Paul a accepté de diriger la section « Beaux livres ».

Le grondement du portable de celui-ci l'interrompt : « Pardon, mesdames ». Il se lève, s'éloigne en boitillant. Et je ne sais ce qui me prend, je me tourne vers Élisabeth et lui pose la question qui me lancine depuis la remarque de Charlotte.

— Qui conduisait quand l'accident s'est produit ?

Elle a un sursaut de surprise, vite réprimé.

— Pas Paul, rassurez-vous, son père.

Et d'un coup, ma poitrine se libère. Guerre ou non, j'aurai au moins été rassurée sur ce point.

Paul raccroche :

— C'était ma mère. Elle t'embrasse, Élisabeth.

Il reprend place dans son fauteuil :

— Où en étions-nous ?

— À L'Embellie, je réponds très vite, décidée à y aller franco, ne pas rentrer à nouveau dans cette détestable comédie. Paul m'a montré les aquarelles de Camille.

— Je sais ça, répond froidement Élisabeth. Elles vous ont plu ?

— Surtout celles où apparaît un visage d'enfant, mystérieux, inquiétant. Je ne sais pas pourquoi, mais ce visage me rappelle le fameux *Senecio* de Paul Klee, peintre apprécié par Camille, si j'ai bien compris.

Là, Cécile dirait que je lui en ai « bouché un coin ». Ses yeux s'agrandissent : ne serais-je pas l'ignorante qu'elle supposait ?

— À ce propos, embraye Paul, Pauline se destine à l'écriture. Je lui ai proposé de l'aider. Dans la mesure de mes moyens.

De toute évidence, cela, Élisabeth l'ignorait. Son regard va de Paul à moi, incrédule, furieux ? Une fois de plus, les paroles de Paul me reviennent : « Elle m'a conseillé d'en rester là avec vous ». De peur que je ne ravive la blessure causée par la mort de sa sœur ? Que je ne prenne sa place ? Et, à nouveau, j'y vais.

— Il me semble qu'il est vain de s'obliger à oublier. Ça ne marche pas comme ça. Mon père dit qu'il vaut mieux tenter de reconstruire sur la blessure avant qu'elle ne se transforme en poison. En m'aidant dans l'écriture, comme Paul le faisait avec Camille, cela lui permettra, d'une certaine façon, de continuer à vivre et peut-être en éprouvera-t-il du soulagement.

— Qu'en savez-vous ? a crié Élisabeth en se levant.

— Calme toi, ma chérie, s'est empressé Paul en se levant à son tour et l'obligeant à se rasseoir. Et tu peux te rassurer, Pauline n'a nullement l'intention de prendre la place de Camille. Elle s'y est engagée.

De quoi avons-nous parlé après ? Il me semble que c'était du remplissage. Élisabeth s'était reprise. Elle discutait avec Paul de leur prochain voyage commun à une fête du Livre où ils emmèneraient quelques auteurs. Il avait gardé l'une de ses mains dans la sienne et l'écoutait avec infiniment d'attention. Et voilà qu'une autre angoisse m'étreignait. Et si, face à la colère de sa « jumelle », vis-à-vis de moi, Paul renonçait à m'accompagner ? Si Élisabeth remportait la victoire ? Je n'avais plus qu'une hâte, quitter ce salon, cette femme dont j'avais compris qu'elle ne m'accepterait jamais. Et lorsqu'un peu plus tard, il a mis fin à l'épreuve, mon soulagement a été immense. Sans un mot, Élisabeth m'a serré la main.

J'avais prévu de dormir chez Charlotte. Paul a tenu à m'y accompagner : un petit quart d'heure de marche.

— Pourquoi Élisabeth me déteste-t-elle ? lui ai-je demandé alors que nous nous éloignions.

— Comme elle s'est efforcée de vous le faire savoir, depuis l'enfance, nous ne nous sommes guère quittés. Elle a longtemps espéré, même si je m'efforçais de lui faire comprendre que c'était en vain, être pour moi davantage qu'une amie très chère. Et elle ne peut s'empêcher de se sentir menacée par toutes celles qui m'approchent.

— Mais en quoi est-ce que je la menace ? me suis-je écriée. Quel danger court-elle avec moi ? Ce n'est pas parce que vous m'aiderez que cela changera quoi que ce soit entre vous ? Vous ne pouvez pas le lui expliquer ?

Paul a eu un sourire :

— Il se trouve que jusque-là je n'avais laissé aucune femme s'approcher d'aussi près que vous.

Aucune « femme » ?

— Alors, on va pouvoir continuer ?

— Mais, Pauline, nous avons à peine commencé.

Et, au bonheur que j'ai éprouvé, j'ai mesuré combien j'avais eu peur qu'il ne se ravise.

— Je ne vous ai pas dit, Paul, mais j'ai eu 16 à mon interview : seconde au classement ! lui ai-je annoncé fièrement.

— Il faudra me présenter le premier pour que je lui règle son compte, s'est-il amusé. Et Charlotte ?

— 12, mais ça lui convient.

Nous arrivions en bas de son immeuble.

— Allez-vous raconter cette soirée à votre « curieuse » ?

— Certainement pas !

J'ai désigné les fenêtres éteintes :

— Elle aussi était de sortie ce soir et apparemment elle n'est pas encore rentrée.

Paul a effleuré mon front de ses lèvres.

— Alors monte vite. Et quand elle rentrera, fais semblant de dormir.

– 32 –

Bientôt le week-end de Pâques. Il n'y a pas si longtemps, on cachait des œufs en chocolat de toutes les couleurs dans le jardin. Jusqu'au jour où on a arrêté, Cécile s'étant déclarée trop vieille pour ce genre de jeu, sans se douter qu'elle éteignait l'une de ces petites flammes qui font les grandes flambées dans les foyers. D'ailleurs, certains appellent encore les maisons comme ça : des « foyers ».

En attendant, à la Sorbonne, Mme Garcia nous a lancé un nouveau défi : écrire une « Lettre à... », un message, un pamphlet, une apostrophe, à qui nous voudrions sur un sujet de notre choix. Nos copies ne devant lui être rendues qu'en juin, nous avions tout notre temps. Elles couronneraient en quelque sorte notre première année de licence. Elle a ajouté que les meilleures « Lettres à... » seraient publiées par un hebdomadaire connu.

— Avec notre photo, j'espère ! s'est écrié Maximilien – lauréat du devoir-interview – et Madame Garcia lui a donné le premier prix en « fanfaronnerie ».

Elle met un point d'honneur à employer ce genre de mot, qui sonne à l'ancienne. Et ne comptez pas sur elle pour tous les féminiser.

Par ailleurs, M. Châtelet – initiation à la peinture – nous a vivement conseillé de nous rendre au musée Marmottan, à Paris, où se tenait une nouvelle exposition sur les impressionnistes. Et là je n'ai pas résisté, j'ai appelé Paul sur son portable – une première. Accepterait-il de m'y accompagner ? Ne m'avait-il pas dit qu'il habitait tout près du bois de Boulogne où le musée se trouvait ?

– Avec joie, a-t-il répondu. Et un autre jour, si tu es d'accord, nous ferons un tour du côté de Giverny pour y admirer les *Nymphéas* de ton cher Monet.

Il m'avait bien tutoyée, je n'avais pas rêvé. Nous sommes convenus de nous retrouver devant le musée, le dimanche suivant à 15 heures.

Il fait beau et frais. Craignant de me perdre, je suis arrivée très en avance devant l'ancien pavillon de chasse légué par Paul Marmottan à l'Académie des beaux-arts pour en faire un musée. Une petite file de personnes patiente devant les trois marches menant à l'entrée. Je guette l'arrivée de Paul. Nous ne nous sommes pas revus depuis la détestable soirée avec Élisabeth et je n'ai pas l'intention de la laisser nous gâcher cet après-midi : je me suis promis de ne pas prononcer son nom.

Et le voilà, se hâtant vers moi : pull, jean, bottes, large écharpe bleu roi autour du cou. C'est drôle, mais j'oublie tout le temps qu'il boite. Avec sa barbe et sa carrure, il n'a pas la tête à ça. Plutôt celle à jouer au rugby. Question : sa patte folle lui permet-elle de conduire ?

— Tout va, mademoiselle ? demande-t-il en effleurant mon front de sa barbe.

— Tout va !

Des gens nous regardent. C'est notre première sortie en public. Comment voient-ils la « demoiselle » ? Grand frère et petite sœur ? Mais c'est à nous de pénétrer dans le saint des saints où apparemment Paul a ses entrées : une carte présentée à l'accueil et nous passons tous les deux sans payer.

Dans une vaste salle somptueusement éclairée par des lustres à pampilles, m'attend mon tableau préféré de « mon cher Monet ». *Impression, soleil levant*. C'est le port du Havre, un soleil rond comme une orange embrase l'eau encore grisée par la nuit. Ciel et mer se marient. Au premier plan, sur une frêle embarcation, on distingue la silhouette d'un homme debout. Tout n'est que reflets, miroitements.

— Laisse-toi aller, dit la voix de Paul derrière moi. Écoute ce qu'il te dit.

La lumière arrachée à la nuit ? La fragilité des hommes ? Notre destin beau et tragique ?

Derrière nous, des gens piaffent. Je me détache à regret du tableau et, avec le suivant, *La Rue Montorgueil*, me voici projetée dans la fête. Une marée de drapeaux tricolores flottent au vent au-dessus d'une rue étroite où déambule la foule. Quelle victoire célèbre-t-on aujourd'hui ? On dirait un cri. Tout au bout de la rue, un drapeau se détache, comme cherchant à s'envoler dans le ciel tourmenté. On a une impression de mouvement, d'élan.

Mais, à nouveau, nous voilà contraints d'avancer alors que je n'ai qu'une envie : me poser en face de l'une de ces toiles, m'approprier sa lumière, me fondre dans ses paysages, m'oublier pour savourer l'instant. J'ai toujours pensé que, dans une musée, on devrait ne s'arrêter que devant quelques tableaux et les regarder vraiment, s'en pénétrer, s'en imprégner, plutôt que de se perdre dans une trop grande profusion de beauté et, finalement, ne garder que des souvenirs flous. J'en fait part à Paul. Il est d'accord.

Ce tableau-là s'intitule *La Cathédrale de Rouen*. De la pierre mangée par les siècles se dégage une lumière légèrement passée, jaunâtre, qui rappelle ces vieilles photos dentelées dans les albums de nos grands-parents. Le portail est fermé, le silence a remplacé la musique des grandes orgues. J'entends comme un adieu. Paul m'entraîne à l'écart.

– Sais-tu que, pour exécuter ce tableau, Monet avait loué une chambre à l'hôtel d'en face et qu'il y avait disposé plusieurs chevalets pour suivre les modifications de la lumière ?

Lumière décroissante. Adieu à la foi de nos ancêtres ?

Le cœur un peu serré, je demande à Paul :

– Monet était-il croyant ?

– Non, affirme-t-il.

Pourtant, on aurait dit.

Tandis que nous passons dans la salle suivante, Paul me raconte comment, durant des années, la critique s'était acharnée contre le peintre. « Un, tableau, ça ? Vous voulez rire : une ébauche confuse, un balbutiement, de monstrueux embryons. » Alors que, de son côté, Monet se désespérait de sa lenteur à peindre. Monet, peintre-jardinier qui affirmait : « Je peux rester des heures en contemplation devant une motte de terre, y cherchant la forme et les couleurs que je lui donnerai. »

Dans cette salle-là, d'autres que lui sont exposés et on y est un peu plus tranquille. Voilà Alfred Sisley, dont notre professeur nous a appris qu'il était le compagnon de galère de Monet lors de leurs difficiles débuts et qu'ils se considéraient comme des frères. Et voici *La Grenouillère* de Renoir : un ponton au bord de l'eau, de belles dames en robes blanches s'apprêtant à embarquer. L'eau, le thème favori des impressionnistes : mobilité, transparence, épousailles avec le ciel.

On frissonne devant le tableau de Camille Pissaro – un autre Camille – appelé *Gelée blanche*. Un fagot de bois sur l'échine, un paysan traverse son champ gelé. C'est le petit matin, on a une impression de lenteur, de glaciation. « On dirait qu'il fait froid », remarque un enfant en tirant sur la manche de sa mère. Paul me sourit. Pour un peu, on aurait l'onglée.

Enfin, pour terminer la visite, une belle photo de Claude Monet, solide vieillard à barbe blanche, prise par son ami Sacha Guitry. Carré dans un fauteuil de son jardin, chapeau de paille sur la tête, cigarette entre deux doigts, il regarde au loin, serein.

– « Plus je vais, plus je m'aperçois que l'on n'ose jamais exprimer franchement ce que l'on ressent », disait-il, m'apprend Paul.

– Je n'ose penser à ce qu'il dirait aujourd'hui ! s'exclame une voix joyeuse derrière nous.

Un homme d'une trentaine d'années sourit à Paul. À son côté, une élégante jeune femme en bottes et blouson de fourrure.

– Mais quelle bonne surprise ! s'exclame Paul.

Il les embrasse tous les deux avant de se tourner vers moi.

– Pauline, je te présente Jacques et Oriane, de très chers amis.

Nous nous serrons la main.

– Vous commencez ou vous terminez la visite ? s'enquiert Jacques.

Nous terminons. Ne nous reste qu'à passer dans la boutique-souvenirs.

– On vous suit.

Parmi les innombrables livres, guides et souvenirs divers, Paul choisit une boîte de feutres de plusieurs couleurs et me la tend : « Pour que tu te souviennes. » Le nom, Monet, figure sur chacun.

Puis nous avons lentement marché dans le bois de Boulogne, direction Passy. Dans une large allée, des ados exécutaient des figures sur des skates. D'autres patinaient. Plus loin, assises sur des bancs, des mères bavardaient en surveillant leurs petits dans un bac à sable. Un kiosque vert proposait des friandises de toutes sortes, dont ces rouleaux de réglisse, une boule de couleur au milieu, dont je raffolais enfant. La cloche de Guignol a sonné : lieu magique pour moi, qui me rêvais princesse.

Laissant Paul et son ami discuter, Oriane s'est approchée de moi : longs cheveux blonds retenus par une barrette, jolie, naturelle.

– Vous peignez aussi, Pauline ? m'a-t-elle demandé.

– Non. J'écris.

Elle a hoché la tête et, plus bas :

– Vous savez, je trouve Paul beaucoup mieux.

Et, avec un sourire complice :

– En seriez-vous la cause ?

Je suis restée interdite.

– Mais nous ne nous connaissons que depuis quelques mois.

— L'important, c'est le résultat. Et, quoi qu'il en soit, merci.

Et elle a ajouté :

— Je compte sur vous.

Les Delmas habitaient rue d'Andigné, à deux pas de l'ancienne gare de Passy. Arrivés au pied de l'immeuble, Jacques nous a proposé de monter. Et, devant le refus poli de Paul, il lui a fait promettre de venir très vite dîner chez lui.

— Avec Pauline, bien sûr, a ajouté Oriane.

La porte s'est refermée sur eux.

– Viens ! a dit Paul.

Je l'ai suivi.

Nous avons remonté en silence l'avenue Paul-Doumer et sommes arrivés place Possoz, une petite place monopolisée par un fleuriste : bouquets variés, arbres d'ornement et plantes diverses. Dimanche, les gens étaient nombreux à y flâner, les familles. Paul a désigné une fenêtre, en haut d'un bel immeuble en pierres de taille, comme tous ceux de l'avenue :

– C'est là.

Je n'ai pas répondu. Son « viens », grave, autoritaire, m'avait indiqué où il m'emmenait, chez lui. Et il me semblait qu'il me faisait là le plus beau des cadeaux : un peu de son intimité.

Il a composé le code et poussé la porte cochère. Les rideaux étaient tirés sur la porte vitrée de la loge. Nous sommes montés dans l'ascenseur et lorsqu'il a appuyé sur le plus haut bouton, le cinquième, je me suis demandé comment il faisait lorsqu'il était en panne.

Deux portes sur le palier. Il a ouvert celle de droite, donnant sur une entrée obscure. Il a pris mon blouson et l'a suspendu à un portemanteau avec son écharpe avant de me précéder au salon.

C'était une vaste pièce lumineuse. Derrière les voilages tirés des deux hautes fenêtres, on entendait le bruit de la circulation. Tout un pan de mur était occupé par une bibliothèque. Je m'en suis approchée : de nombreux livres d'art, bien sûr, mais aussi des volumes reliés de la Pléiade et des romans.

Un peu plus loin, sur la tablette d'une cheminée en marbre rose, quelques photos.

Je me suis tournée vers Paul, silencieux :

– Je peux ?

Il a incliné la tête.

Toutes semblaient avoir été prises près de la belle maison blanche, à Saint-Rémy-lès-Chevreuse, dont m'avait abondamment parlé Élisabeth. Debout devant cette maison, un couple avec deux enfants : un garçon costaud, une fillette à nattes brunes : elle et Paul. Cette photo-là les représentait plus âgés, en tenue d'équitation. D'autres clichés montraient des paysages, des personnes inconnues de moi.

Et puis, sur le mur d'en face, était suspendue une autre aquarelle, encadrée d'une simple baguette. Une toile non signée dont je connaissais l'auteur.

La couleur mauve dominait. Mauve pâle, le ciel. Plus foncé, le lointain, presque noir, cette forêt, faisant ressortir, en son centre, la tache claire d'un lac. Au sommet d'une colline se dressait une maison blanche à tourelles, deux étroites lucarnes tels des yeux. Montait de l'ensemble un sentiment d'irréalité. De solitude ?

– L'une des dernières aquarelles de Camille. Elle s'amusait à dire qu'elle habitait cette maison, a commenté Paul.

CHAPITRE 33

Et j'ai eu envie de m'asseoir face à ce paysage singulier et d'écouter ce qu'il me disait.

Nous avons quitté le salon, longé un couloir. Paul a poussé une autre porte.

— Sa chambre.

Elle donnait sur une courette et le silence y régnait. Le fin voilage de l'unique fenêtre était ouvert, laissant passer une lumière tendre. Sur les murs, un papier peint représentait des bouquets de violettes. Une chambre de jeune fille, avec un lit à barreaux sur lequel s'arrondissait une couette gonflée, quelques meubles et, devant la fenêtre, un chevalet portant une autre aquarelle.

Celle-ci représentait, entre deux ailes roses, un rond visage de petite fille, paupières fermées, cils en corolle, sourire paisible aux lèvres, dessinées d'un seul trait. Et, à nouveau, le *Senecio* de Paul Klee m'est venu à l'esprit.

— Quand Camille l'a-t-elle peint ? ai-je demandé.

— Elle n'avait que 16 ans.

Et, comme pour ne pas la réveiller, Paul a refermé la porte sans bruit.

Dans l'obscurité du couloir, il m'a semblé qu'il hésitait. J'ai senti la présence d'Oriane derrière mon épaule et j'ai demandé : « Est-ce que je peux voir ta chambre ? », m'étonnant de mon audace. Sans répondre, il a poussé une autre porte.

Dans cette chambre-là, le lit était défait, l'oreiller portait encore l'empreinte de sa tête. En face, une reproduction de l'autoportrait de Delacroix, le maître qui lui avait dit « Viens », « Va ». Et dessous, posées sur le sol, appuyées au mur comme si elles ne méritaient pas d'y figurer, plusieurs toiles dont j'ai compris, avant même de les retourner, qu'elles étaient de lui.

Je me suis accroupie pour regarder cette débauche de couleurs, cette générosité, cette ardeur, ce cri de colère. L'œuvre de l'adolescent fougueux et tourmenté que Paul m'avait confié avoir été. Cette œuvre qu'il avait délaissée pour aider une sœur qu'il considérait comme plus douée que lui, qu'il avait décidé d'abandonner lorsque Camille avait perdu la vie. Une vie qui flambait dans ses couleurs à lui.

« Vous aussi, vous peignez ? » m'avait demandé Oriane comme si elle avait vu ces toiles. Connaissait-elle ce talent ? Et elle avait ajouté : « Je compte sur vous. »

De retour au salon, j'ai dit à Paul qu'il était impossible, impensable, qu'il délaisse ses pinceaux, cadenasse en lui cette puissance, cette ardeur, ce feu qui, s'il continuait à l'ignorer, le consumerait, lui. Je l'ai supplié de recommencer à peindre. Je lui ai dit que je ne le reverrais pas avant qu'il ne s'y soit remis.

Il me regardait, incrédule, blessé ? Sans un mot, il m'a précédée dans l'entrée où, emportée par mon enthousiasme, aveuglée par son talent, j'ai attrapé son écharpe et l'ai nouée autour de mon cou avant d'effleurer sa barbe de mes lèvres.

– Je te la rendrai quand tu te seras décidé.

Et je l'ai quitté comme une imbécile sans comprendre que je venais de me saborder moi-même.

– 34 –

Lundi de Pâques : jour des cloches. Claire et Henri sont venus déjeuner à La Marette. Il y avait aussi Marie-Agnès et son fils Jean-Marc, un an, dont Cécile est la marraine[1]. L'année prochaine, il marchera et la Poison sera bien obligée d'accepter pour lui de cacher à nouveau des œufs dans le jardin. Sans compter que le bébé de Claire sera là, qui réclamera vite lui aussi. Les traditions ont la vie dure.

Bernadette nous a fait l'honneur d'assister au déjeuner. Depuis sa rupture fracassante avec les « mâles » Saint-Aimond, un noir silence a succédé aux imprécations. Elle traîne une âme en peine sous un front buté. Me souvenant de ma promesse à Stéphane, j'ai, à plusieurs reprises, tenté d'intercéder en sa faveur et me suis à chaque fois fait envoyer sur les roses : « Quand comprendras-tu que c'est fini, N-I ? » J'ai évité de lui parler de ma rencontre avec Steph à l'église pour ne pas la faire hurler davantage, mais n'ai pas résisté à

---

1. «Voir *Les Quatre Filles du docteur Moreau*.

la raconter à maman, qui, bien sûr, a trouvé ça admirable. En plus, pendant les vêpres…

Admirable, certes. Mais maintenant vers quel saint me tourner ?

C'est lors du fameux déjeuner de Pâques que l'idée m'est venue. En entendant Marie-Agnès déclarer avec humour : « Rien ne vaut la voix d'une mère », après avoir réussi à calmer son bébé braillard. Comment n'y avais-je pas pensé avant ?

Voilà huit jours que je suis sans nouvelles de Paul. Je ne cesse de consulter mon portable, espérant y trouver un message. Qu'ai-je fait ? Les crayons de couleur Monet ne me quittent pas. Ni l'écharpe bleu roi.

Mercredi 4 avril, 10 heures du matin. Après deux changements de RER et dix bonnes minutes de marche sous un ciel maussade, me voici devant le portail du bel hôtel particulier des Saint-Aimond. Mon doigt hésite sur la sonnette : « Coucou me voilà »… Débarque-t-on ainsi chez les gens ? En plus, à Neuilly-sur-Seine ? Mais, pour tout numéro, je n'avais que le fixe de la maison : imaginez que je sois tombée sur Hubert : tout mon plan à l'eau ! C'est Odile, sa femme, que je suis venue voir. En espérant qu'elle sera là. D'après ce que j'ai compris, elle n'exerce qu'à mi-temps son boulot d'avocate, ayant encore un fils à la maison : Éric. Et, en bonne épouse, organisant de grandes réceptions indispensables à la carrière de son haut magistrat de mari.

Le portail s'ouvre. Apparaît un homme vêtu de noir et blanc, cravate, souliers cirés : le majordome ?

– Mademoiselle ?

— Je suis Pauline, la sœur de Bernadette Moreau. Pourrais-je parler à Mme de Saint-Aimond ?

Alors que je prononçais le nom de Bernadette, il m'a semblé voir passer une lumière dans les yeux de l'employé. Un allié ? J'aimerais tant !

— Veuillez entrer. Je vais voir si Madame peut vous recevoir.

Ouf, elle est là !

Il referme la porte et disparaît.

Je me trouve dans une petite cour entre deux orangers dans des bacs en bois. Tout près, la fameuse piscine dont Bernadette nous rebat les oreilles : une eau bleu-bleu frissonnant sous les assauts d'un robot-nettoyeur. On se croirait dans une série hollywoodienne. Qui se baigne ici en cette saison ? Non loin, cette cabane aux volets fermés, le lieu annexé par les « tourtereaux » ?

— Veuillez me suivre, mademoiselle. Madame vous attend.

Me voici cette fois dans une entrée spacieuse, glaces partout, une console en bois doré.

— Permettez que je vous débarrasse.

Je permets et mon blouson râpé se retrouve suspendu à une élégante patère avant que le majordome me précède jusqu'à la porte grande ouverte du salon.

Même si je n'ai rencontré qu'une seule fois la mère de Steph, je la reconnais tout de suite. Son beau visage lisse est dégagé par un lourd chignon blond. Elle a les yeux clairs de son fils. Elle vient vers moi et me tend la main.

— Bonjour, Pauline.

Je me trompe ? Non seulement elle ne semble pas choquée par mon irruption chez elle, mais soulagée. Elle me désigne un fauteuil.

— Asseyez-vous. Un café ? Un jus de fruits ?

— Non merci. De toute façon, je ne vous dérangerai pas longtemps.

— Vous ne me dérangez pas.

Elle s'assoit près de moi, son regard m'interroge, je fonce.

Bernadette, d'abord ! Je sais qu'elle s'est montrée odieuse avec son mari, qu'elle lui a dit des choses impardonnables et je lui en demande pardon pour elle. Avant de la défendre… C'est une fille généreuse, aimée de tous ceux avec qui elle travaille, et même admirée. Le souci, c'est qu'elle est entière, sans freins, et qu'au moindre sentiment d'injustice elle part en vrille, déraille.

— Votre sœur s'est en effet montrée d'une grossièreté inouïe avec mon mari, constate Odile de Saint-Aimond. Qu'elle refuse d'épouser notre fils est une chose : il en est souvent ainsi aujourd'hui. Mais était-ce une raison pour manquer à ce point de respect à quelqu'un de trois fois son âge ? Également fort apprécié de ses pairs. Et si elle…

— Maman ?

Un jeune garçon en tenue de tennis déboule dans le salon. Me découvrant, il s'arrête. Il ressemble à Stéphane, en moins doux.

— Voici Pauline, l'une des sœurs de Bernadette, se contente de dire sa mère.

Il se tourne vers moi :

— Salut !

Puis à sa mère :

— Je file au club, compte pas sur moi pour déjeuner. À plus.

Il a déjà disparu.

— La famille… se contente de constater Odile avec un sourire en demi teinte.

Partout la même ?

Ça m'a redonné du courage. Je lui ai dit qu'elle était la seule à pouvoir rattraper les choses, arrêter le désastre. Ne voyait-elle pas, et son mari aussi, que Stéphane était malheureux comme les pierres ? Je l'avais rencontré, il m'avait suppliée de l'aider à renouer avec Bernadette. Il avait même pleuré. Quant à ma sœur, bien qu'elle refuse obstinément de se l'avouer, elle l'aimait. Pour le savoir, il suffisait de voir ses yeux, le matin, sous la poudre censée réparer les dégats.

— On ne peut pas continuer comme ça, madame, c'est trop de gâchis. Et le pardon, ça existe, ça peut même être beau.

Et bien sûr, je me suis transformée en fontaine.

Odile de Saint-Aimond a posé sa main sur la mienne.

— Je vous promets d'y réfléchir.

Dans la piscine, le robot-nettoyeur avait terminé son travail. Passant à côté, je me suis arrêtée quelques secondes et j'ai fait un vœu, assorti d'une promesse en cas de succès.

— Ça va, mademoiselle ? s'est inquiété le majordome.

— J'espère...

À situation insensée, promesse intenable ?

– 35 –

– Il y en a une qui brûle de te connaître, on se voit quand ?
L'appel de Béa, sa voix autoritaire, m'ont procuré un plaisir inattendu. D'abord, ça faisait une éternité qu'on ne s'était pas vues. Ensuite, je brûlais moi aussi de connaître son Héloïse. Enfin, avec Béa, aucune crainte à avoir : ni triche ni faux-semblants, la vérité en pleine figure. Ça m'allait.

On a pris rendez-vous le surlendemain, mardi, après mes cours, chez monsieur l'ambassadeur, son père : « Tu connais le chemin »... Tiens, elle ne m'avait pas parlé de Pierre. S'étaient-ils rencontrés lorsqu'il était passé à Paris ? Savait-elle qu'il avait quitté Brigitte et m'avait proposé de le rejoindre à San Francisco ? Sa voix n'en avait rien laissé paraître : on verrait bien.

Comment m'habiller pour affronter la forcément splendide Héloïse ? À peine la question posée, je me la suis reprochée. Pendant que j'y étais, pourquoi ne pas prendre rendez-vous chez le coiffeur ? L'esthéticienne ? Me faire vernir les ongles ? N'avais-je pas décidé que j'en avais terminé avec la comédie ? Eh bien, je resterais moi-même ; jusque-là, ça ne m'avait pas si mal réussi.

Le jour J, j'ai quand même craqué pour les boucles d'oreilles-cœur, offertes par grand-mère – me porteraient-elles enfin chance ? Et, avant de quitter ma chambre, j'ai adressé un clin d'œil complice à la cloche à orage sur ma table de nuit.

Le code de Béa n'a pas changé. Pas question de prendre l'ascenseur, je monte lentement les trois étages, savourant à l'avance la rencontre avec sa dulcinée. Béa : une dulcinée ? Ça fait drôle quand même ! La porte est ouverte, je la referme sur moi.

— Entre et fais comme chez toi, crie Béatrice du salon.

Je retire mon blouson, garde l'écharpe bleu roi autour de mon cou.

— Froid ? interroge mon amie.

— Un peu.

Une femme de taille moyenne, cheveux bruns coupés court, yeux verts, à peine maquillée, s'avance vers moi. Magnifique ? Certainement pas. Belle ? On ne peut dire ça, autre chose que ça : solide, dégageant une force tranquille – tant pis pour le cliché. Héloïse donne envie de se poser près d'elle, de lâcher prise, de se laisser enfin aller. C'est le mot qui convient à l'impression fugace qui me traverse. Bonjour, M. Monet.

— Voilà donc celle qui a tant compté pour Béatrice ! remarque-t-elle.

Prise de court, je réponds :

— En tant que punching-ball ?

Héloïse acquiesce.

— Qui n'a besoin de mesurer ses forces !

Et d'un coup, je trouve qui elle me rappelle. Ce prof de maths, en classe de seconde, je crois, qui nous avait envoyé lors de son premier cours : « Je n'ignore pas que pour beaucoup d'entre vous les maths sont la bête noire. Mon but est de vous la faire caresser et considérer comme une copine à la fin de l'année ! » Et alors que Béa m'embrasse à son tour, je murmure « Bête noire ? » et elle éclate de rire : elle aussi y a pensé.

— Il faudra que vous m'expliquiez, commente Héloïse.

Sur la table basse, devant le canapé, l'inévitable bouteille de champagne dans un seau à glace attend d'être dégustée. Autour, tout le nécessaire, et pas seulement trois toasts qui se battant en duel comme chez certaines. Je retire mon écharpe. Voilà que j'ai chaud, si agréablement chaud. De soulagement ?

— Bien sûr, on se tutoie, décide Héloïse.

— Pas avant d'avoir trinqué, exige Béa.

Les coupes remplies, nous les heurtons avant de tomber sur le canapé, moi en sandwich entre les deux, aïe.

— Alors, raconte les fêtes ? Ça s'est passé comment ? demande Béa.

— Dans le Midi. Trop long à raconter. Plein d'embrouillaminis comme toujours. Parlez-moi plutôt du Danube.

Leur « voyage de noces ».

— Genre conte de fées. On te passera le film. Quand aux embrouillaminis, Hélo connaît, elle aussi a une grande famille, en mieux répartie : deux filles, deux gars.

Béa s'interrompt, pousse un petit soupir :

— Finalement, de nous trois, je suis la seule orpheline.

Elle a dit ça d'une voix cassée avant de s'éclaircir la gorge et de demander à son amie de me raconter sa grande famille à Boulogne-Billancourt, près de l'Inserm, où la chercheuse œuvre du côté des gamètes.

Tandis qu'Héloïse raconte, je surprends le regard de Béatrice sur elle : un regard de gamine émerveillée, extasiée ? Jamais je ne lui avais vu une telle expression. Qui m'émeut profondément. A-t-elle surpris mon regard ? Dès qu'Héloïse se tait, elle attaque.

— Pierre m'a dit que tu te plaisais à la Sorbonne ?

— Tu l'as vu ?

— Je l'ai même hébergé. Il a donné à Brigitte son atelier en cadeau d'adieu.

Aucun reproche dans sa voix. Aurait-elle eu la même réaction si j'avais suivi Paul en Californie ?

— Il m'a dit que tu avais rencontré quelqu'un ?

Et soudain, je sais. C'est pour qu'elle me pose cette question que je suis venue. Pour qu'elle m'oblige à parler de Paul, ce que je ne peux pas faire chez moi. Paul dont je suis sans nouvelles depuis quinze jours, Paul que j'ai peur d'avoir perdu. De quel droit lui ai-je fait ce chantage ? Car c'était bien du chantage : « Si tu veux me revoir, tu reprends tes pinceaux. » J'étais folle ou quoi ?

— Alors ? s'impatiente Béa qui sent très bien qu'il y a anguille sous roche.

Je m'efforce de contrôler ma voix :

— J'ai en effet rencontré un homme formidable, un éditeur, un artiste. Il sait que j'écris, il m'a proposé son aide.

Béa m'observe. Je connais ce sourire railleur.

— Et quel âge il a, ton homme formidable ?

— La trentaine.

— Tu l'aimes ?

Durant une seconde, j'ai le souffle coupé.

– Oui. Mais pas comme tu le penses, comme à un ami irremplaçable.

– Tu sais, Pauline, rien ne t'oblige à nous en parler, intervient Héloïse avec bienveillance. Il arrive à Béa de se montrer un peu trop curieuse.

– Mais je n'ai rien à cacher !

Je m'entends raconter ma rencontre avec Paul à L'Escale, le drame survenu dans sa vie avec la mort de son père et de sa sœur, leur amour commun pour la peinture. J'évoque aussi Élisabeth – les « jumeaux » –, sa jalousie, je débite d'un trait tout ce que j'ai soigneusement évité de dire à Charlotte. Trop concernée par cette histoire ? Craignant son jugement ?

– Depuis combien de temps vous connaissez-vous ? s'enquiert tranquillement Héloïse.

– Depuis l'automne dernier.

– Apparemment, Paul est tombé au bon moment dans ta vie. Quand tu étais prête à le rencontrer. Et réciproquement...

– La marotte d'Hélo, remarque Béa en riant. Selon elle, il y aurait des moments de notre vie où nous serions prêts à avancer, disponibles en quelque sorte. Il ne faut surtout pas les louper, ils ne durent parfois que quelques secondes : des sortes de flashs. Bref, tu nous le présentes quand ?

Et moi aussi, j'ai ri. Pour ne pas avoir à répondre ?

Huit heures ont sonné. Béa a décidé que je resterais dormir et j'ai appelé maman. Comme avant, comme autrefois, nous avons puisé de quoi dîner dans le réfrigérateur et achevé, en grignotant, la bouteille de champagne. Profitant d'un moment où Béatrice était dans la cuisine, Héloïse m'a demandé.

— Comment te sens-tu, Pauline ?

— En attente, ai-je répondu.

Elle m'a souri.

— Tout vient à son heure. Ne te fais pas de souci.

Son doigt a effleuré l'une de mes boucles d'oreilles-cœur :

— Je suppose qu'elles racontent une bien belle histoire.

Et j'ai eu envie de lui raconter ma vie.

Plus tard, à bout de fatigue, d'émotion, j'ai refermé sur moi la porte de la chambre d'amis. Sur une étagère, j'ai remarqué une photo encadrée que je ne connaissais pas. On y voyait le père de Béa, jeune ambassadeur, le bras autour des épaules d'une belle femme au regard dur, aux vêtements stricts : la mère américaine de Béa qui lui avait préféré sa carrière.

J'ai revu le regard de petite fille de Béatrice sur son Hélo, j'ai entendu sa voix : « Finalement, je suis la seule orpheline. »

J'avais trouvé le sujet de ma « Lettre ouverte ».

« Chère Pauline, comme prévu, Jacques m'a appelé. Si tu es d'accord, nous dînerons chez Oriane et lui samedi prochain. Que penserais-tu de se voir avant pour parler ? Rappelle-moi vite. »

Le mot était signé : Paul. En haut de la page, il avait dessiné une écharpe : sa réponse ?

J'avais trouvé la lettre en rentrant de mes cours, sur la commode de l'entrée, dans la pile de courrier et revues destinée à papa. L'écriture m'était inconnue, aucun nom ne figurait au dos de l'enveloppe, pourtant j'avais su tout de suite qui en était l'auteur et j'étais montée quatre à quatre, le cœur battant, dans ma chambre. Décachetant l'enveloppe trop vite, je l'ai déchirée : c'était bien lui.

Après avoir lu et relu son mot, je suis allée à la fenêtre et je l'ai grande ouverte. Soudain, j'étouffais. « Tout vient à son heure, ne te fais pas trop de souci », m'avait dit Héloïse. Oui ! Merci !

18 h 30, le soleil pâlissait. Il avait brillé toute la journée et il me semblait ne m'en apercevoir que maintenant. Dans le

jardin de M. Tavernier, un oiseau a lancé un cri minuscule mais strident, impératif. Un autre lui a répondu sur le même ton. Jean-Marc aurait su m'en donner le nom.

J'ai passé le doigt sur l'écharpe bleue, suspendue au pied de mon lit : « Enfin ! » lui ai-je dit. Puis je me suis calée à mes oreillers et j'ai attendu que mon cœur se calme : j'avais eu si peur de ne le revoir jamais.

Aucun bruit du côté de Cécile, pas encore rentrée. J'ai sorti mon portable de ma poche : « Tu vois, tout arrive ! » Et je n'ai pu m'empêcher de rire. Parler à une écharpe, un portable... j'étais plutôt mal barrée.

– Oui, Pauline, a dit la voix calme de Paul.

Je lui ai proposé de le rejoindre demain, vers 18 heures, à L'Embellie. À moins qu'il ne préfère un bistro ?

– Tu vois, les bistros avec toi, j'en ai un peu assez, a-t-il répondu. L'Embellie m'ira très bien.

Nous avons raccroché ensemble. Il faudrait que je pense à avertir Charlotte que je passerais chez elle la nuit de samedi à dimanche.

Puis j'ai commencé à compter les heures.

Dans le square devant L'Embellie, le soleil s'attardait. Sur un banc, enveloppé dans une couverture, un clochard dormait. Une courte panne de RER m'avait fait prendre vingt minutes de retard, j'avais couru, j'étais essoufflée. Paul a ouvert tout de suite.

– J'avais peur que tu n'aies changé d'avis.

– Je t'aurais averti.

C'était la première fois que je le voyais en costume-cravate : ours apprivoisé ? C'était la première fois qu'il me voyait en robe, une robe-pull beige, achetée avec maman pendant les soldes, dont la couleur se mariait bien avec le bleu roi de son écharpe. Avec, je portais des petits talons.

— Tu es belle, s'est contenté de dire Paul.

Nous sommes montés directement dans son bureau, il s'est assis sur le fauteuil voisin du mien et il est allé droit au but.

— Ce que tu m'as réclamé l'autre jour m'a profondément ébranlé. Tu as touché là, tu ne peux l'ignorer, un point extrêmement sensible. Et avec quelle énergie ! a-t-il ajouté en se forçant à rire.

J'aurais dû lui demander pardon : « Pardon, je ne recommencerai plus » : impossible. Cela aurait été lui mentir. Non, je ne regrettais pas mes paroles, seulement de les avoir prononcées sans réfléchir, emportée par mon enthousiasme devant son œuvre, sans réaliser que j'allais le blesser. J'aurais pu, j'aurais dû m'y prendre autrement, plus sérieusement, plus respectueusement. Mais je n'avais pas changé d'avis pour autant : je ne trahirais pas la promesse que je m'étais faite : le convaincre de ne pas laisser un tel talent en friche. Alors, je me suis tue.

Mon silence n'a pas paru le surprendre. Il s'est penché sur moi et il s'est emparé de ma main.

— Ces quinze jours m'ont semblé longs, mais ils m'ont permis de réfléchir. Je ne peux pas m'engager à me remettre à peindre, je ne suis pas prêt. Je peux seulement te promettre d'y penser. Et, crois-moi, c'est déjà beaucoup.

Soudain, tout s'est mis à tourner autour de moi. Le soulagement ? Un trop brutal bonheur ?

— Est-ce que je pourrais avoir un verre d'eau s'il te plaît ? J'ai très soif.

— Pardonne-moi, je suis un rustre.

Il s'est levé et, tandis qu'il remplissait mon verre, je regardais le tableau de Magritte, l'arbre s'élançant vers le ciel, fier, fragile aussi. Oui, Paul était bien cet élan, cette souffrance, cet espoir.

Je l'aiderais à y répondre.

Paul conduisait ! Dans un parking proche de L'Embellie, il m'a ouvert la portière d'une voiture spacieuse dans laquelle il s'est glissé sans effort. La carte « handicapé » sur le pare-brise m'a déplu. Pour moi, il ne l'était pas.

— Il y a tant de choses de ta vie que j'ignore, ai-je constaté.

— Il y a tant de choses de toi que je ne connais pas, a-t-il remarqué.

Un jour, il faudrait que je lui parle de Pierre.

C'était une voiture sans changement de vitesse. Il la conduisait avec aisance, souplement. Personnellement, je n'avais pas mon permis de conduire, c'était prévu en septembre prochain : cadeau d'anniversaire des parents.

Durant le trajet, nous avons parlé de Jacques et Oriane. Lui, était ingénieur dans l'aérospatiale : un boulot passionnant. Elle, travaillait dans la mode. Paul les avait rencontrés lors d'une soirée culturelle organisée par la mairie de leur quartier. Ils avaient aussitôt sympathisé. Mariés depuis cinq ans, les Delmas avaient deux enfants, deux garçons dont il oubliait régulièrement les prénoms. Ah oui ! Éloi et Alfonso.

— Je vais te faire rire : ils imaginaient que nous vivions ensemble. Bien sûr, je les ai détrompés. D'après Jacques, Oriane a été très déçue.

Oriane… N'était-ce pas à cause d'elle, grâce à elle (son « je compte sur toi ») que j'avais demandé à Paul de reprendre ses pinceaux ? Que savait-elle de son talent ? Il faudrait que je lui en parle.

Mais nous arrivions rue d'Andigné. Quittant la voiture, j'ai senti la lourde respiration des arbres du bois de Boulogne, tout proche. Dans ma tête, la cloche de Guignol a sonné : moi la princesse à la baguette magique ? Si seulement !

Oriane nous a ouvert. Près d'elle, deux petits garçons en pyjama sautillaient impatiemment sur place.

— Ils refusaient de dormir avant de vous avoir vus. Ils adorent quand nous avons des invités.

— Embrasser ! m'a ordonné Alfonso, le plus petit.

Je me suis acquittée. Quant à Éloi, grand seigneur, il m'a baisé la main. Ils sentaient le propre, l'eau mousseuse du bain. Jacques nous avait rejoints avec une femme aux cheveux gris.

— Madame Nounou, nous l'a-t-il présentée.

Nous l'avons saluée et elle a emmené les garçons qui protestaient à grand bruit.

— Famille, famille, a chantonné Oriane.

Un jour, j'aurais une indigestion de champagne. Une bouteille de « Veuve Clicquot » nous attendait au salon, un salon tout blanc meublé de façon moderne avec une terrasse donnant sur le Bois. J'ai accepté une coupe mêlée de sirop de pêche : un « bellini », boisson réputée du fameux Harry's Bar à Venise. Tandis que je le dégustais, Jacques nous a parlé de son travail à la conception de futurs engins spatiaux.

– En permanence là-haut ! s'est amusée Oriane. Et il a déjà contaminé Éloi, qui pavoise auprès des copains en affirmant qu'il s'envolera bientôt pour Mars avec son père.

Elle avait une petite boutique de mode dans le 8ᵉ. Elle nous a parlé de sa collection « été » et, là aussi, on planait avec de longues robes de gaze et mousseline semblant venir d'un autre monde, portées avec des talons démesurés ou des bottes d'amazone.

J'avais l'air d'écouter, je souriais lorsqu'il le fallait, je buvais mon « bellini » à petites gorgées, piochais dans les amandes, mais en réalité j'étais à mille lieues de là, planant moi aussi, n'en revenant pas de me trouver dans ce salon avec les amis de Paul, me régalant de champagne, respirant librement, alors qu'hier encore je galérais, croyant l'avoir perdu.

Avant de passer à table, alors que j'aidais Oriane à la cuisine, je lui ai glissé :

– Un de ces jours, il faudra que nous nous voyions.

– Ça roule, a-t-elle répondu et j'ai été prise d'un fou rire.

Tout en dégustant un délicieux pavé de saumon grillé, accompagné d'un gratin de courgettes, c'est moi qui ai été mise sur la sellette, priée de parler de moi, mes études, ma famille. J'ai raconté ma première année de lettres à la Sorbonne et dit ma prédilection pour les cours d'initiation à la peinture. J'ai décrit La Marette, et ses occupants. Lorsque j'ai évoqué la passion de Bernadette pour les arbres, Jacques, qui la partageait, a été captivé. Quand j'ai décrit les mésaventures de Claire dans le mannequinat, Oriane s'est indignée. Si un jour l'envie lui revenait...

Le repas s'est terminé par une rafraîchissante salade de fruits. Un peu plus tard, alors que nous nous quittions, Oriane a glissé sa carte dans ma main : « À vous de jouer. » Paul a promis que le prochain dîner aurait lieu chez lui.

Tout en me conduisant chez Charlotte, il m'a dit qu'il souhaitait me présenter à sa mère. Il lui avait parlé de moi. C'était une boulimique de lecture, nous devrions bien nous entendre. Arrivés à destination, il est sorti de sa voiture pour m'embrasser. Je lui ai tendu son écharpe.

– Surtout pas, a-t-il dit. Garde-la. Elle me tiendra chaud.

– Mais qu'est-ce qui t'arrive, Pauline ? T'es aveugle ou quoi ? À moins que tu ne te bouches les yeux, c'est ça ? À la poubelle toutes les belles phrases dont tu te gargarisais, les « j'ai grandi, je n'ai plus peur, je sais où je vais » ?

Huit heures, dimanche. P'tit déj' en face de Charlotte, moi en tee-shirt, elle dans une vieille chemise de Hugo. Hugo absent pour le week-end. Mais qu'est-ce qui m'a pris de balancer à mon amie, toute fière, que Paul conduisait ? De lui raconter la soirée d'hier, le repas chez ses amis. En omettant quand même de trop m'appesantir sur Oriane. Et, comme si ça ne suffisait pas, face à son air captivé, je n'ai pas hésité à lui parler de ma découverte du talent de Paul, mon stupide chantage, notre réconciliation.

Il faut dire qu'hier, en rentrant du fameux dîner, j'ai été carrément nulle. Alors qu'elle m'attendait dans l'espoir de bavarder un peu, assommée par la Veuve Clicquot et un trop-plein d'émotions, après un « bonne nuit » vaseux et un rapide baiser, je m'étais écroulée sur le lit, muette, couette sur la tête.

Charlotte va à l'évier, se verse un grand verre d'eau, l'avale d'un trait, revient s'asseoir près de moi, plonge ses yeux dans les miens.

– Tu l'aimes ! Il va te falloir combien de temps pour te l'avouer ? Et, d'après ce que j'ai compris, c'est réciproque.

Je me tais. Je ne lui lance pas comme à Pierre et à Béa qu'elle se trompe. Que Paul n'est qu'un ami très cher, irremplaçable. Bien sûr, je l'aime ! Tout simplement, je n'osais pas me le dire à haute voix, pas encore. Elle l'a fait pour moi : c'est ça, les « amies de cœur ». Et la seule question que je me pose, c'est « quand » ? À quel moment, quel instant, le « flash » – coucou, Héloïse – s'est-il déclenché entre nous ? À L'Escale dès le premier regard ? Comme dans les romans roses ? Une brusque montée de phéromones comme pour Bernadette et Steph ? Et toi, Paul ? Toi dont le regard ne cesse de me dire que tu m'aimes aussi, quand ?

Il me semble qu'il est inutile de chercher à dater ce sentiment doux et intense, ce lien qui s'est noué tout de suite entre nous et, sans que nous le cherchions, sans même que nous en soyons conscients, nous a menés à ne plus pouvoir nous passer l'un de l'autre, vivre sans l'autre, respirer seul.

Je souris à Charlotte.

– J'avoue tout.

Elle semble soulagée.

– Et maintenant ?

– Maintenant, tu me connais, je suis plutôt vieux jeu. Je vais attendre que mon soupirant veuille bien se déclarer.

Charlotte m'a envoyé sa serviette à la figure, j'ai riposté de même, c'était parti pour une nouvelle tournée de café. En y ajoutant cette fois tartines grillées, beurre, miel et confiture.

CHAPITRE 38

Je me sentais prête à engloutir le monde. Je ne sais plus à quel moment son portable a sonné sur son lit. Elle l'a calmé avec son oreiller, il couinait comme un enfant puni. J'avais mis le mien en sourdine : autre chose à écouter.

– À quand le mariage ? a-t-elle demandé.

J'ai répondu que c'était à elle de donner l'exemple au nom de l'ancienneté. Je postulais pour être demoiselle d'honneur.

– Et si on faisait les choses en même temps ? a-t-elle demandé.

Ce que j'apprécie en Charlotte, c'est sa simplicité, son approche directe des situations, le contraire de Béa qui a tendance à tout compliquer et qui, si elle nous avait vues à l'instant, aurait certainement été jalouse. Alors que ma nouvelle amie ne rêvait que de la rencontrer.

Je l'ai embrassée et je lui ai dit que, tout compte fait, je l'aimais beaucoup.

9 h 30. Le soleil frappait aux carreaux, les cloches de Saint-Germain-des-Prés ont sonné la messe. C'était l'heure de rentrer à la maison, l'heure de parler à maman. Tout lui raconter ?

Pourquoi pas ?

Une somptueuse voiture noire – une limousine – était sta-
tionnée devant la grille de La Marette. Debout, appuyé à la
carrosserie, se tenait un chauffeur à casquette. Lorsqu'il l'a
retirée pour me saluer, j'ai reconnu le majordome des Saint-
Aimond.

– Bonjour, mademoiselle Pauline.

Stupéfaite, j'ai bredouillé moi aussi « bonjour ». Bonjour
qui ? Quel prénom ? J'avais envie de le lui demander. Soudain,
cela me paraissait important, comme une injustice à réparer.
Mais déjà il avait remis sa casquette : une autre fois ?

J'ai désigné la maison :

– Mme de Saint-Aimond est là depuis longtemps ?

Il a regardé sa montre :

– Une quinzaine de minutes.

J'ai monté lentement les marches du perron. Ainsi, Odile
avait tenu sa promesse. Elle avait réfléchi et parlé à son mari.
Obtenu sa clémence pour Bernadette ? Dans l'entrée, j'ai
hésité. Derrière mon épaule, Charlotte a froncé les sourcils,
j'ai poussé la porte du salon.

Bernadette était perchée sur le bord d'un siège, le visage fermé, prête à s'échapper ? Odile de Saint-Aimond était assise dans un fauteuil à côté des parents, papa en costume-cravate alors que le dimanche il n'aime qu'à traîner dans de vieux pulls troués qu'il appelle ses « copains ». Pas de Cécile à l'horizon, ouf !

À mon entrée, la mère de Steph a eu un grand sourire.

– Vous voyez, Pauline, votre visite a porté ses fruits.

De cette visite, je n'avais rien dit à personne, elle non plus apparemment. Les parents ont écarquillé les yeux tandis que Bernadette me lançait un regard furibond. J'apprendrais plus tard que sa future belle-mère avait, elle, fait les choses dans les règles en appelant maman pour lui annoncer sa visite et demander à ce que Bernadette soit présente. Appel passé hier soir alors que je dînais chez Jacques-Oriane. Maman qui avait eu le plus grand mal à convaincre Bernadette d'être là.

Je me suis assise près d'Odile et j'ai révélé que, si j'avais été la voir à Neuilly, c'était pour tenir la promesse que j'avais faite à Stéphane le jour de la rupture, à l'église de Jouy-le-Moutiers, d'employer tous les moyens pour le rabibocher avec Bernadette.

Cette nouvelle annonce a rencontré le même succès que la précédente, maman étant la seule à être au courant.

– Et alors ? Vous avez pris date avec le curé pour le mariage ? a grincé ma sœur.

La mère de Stéphane s'est raidie. Les parents ont échangé un regard navré. D'un coup, j'en ai eu assez, je me suis levée, je me suis plantée devant Bernadette et tant pis pour le spectacle, je lui ai tout balancé. Le désespoir de Stéphane, ses larmes, oui, ses larmes. Stéphane qui ne pouvait pas s'imaginer vivre

sans elle malgré son caractère de cochon, son langage de char-
retier, ses diktats, sa mauvaise foi, son aveuglement parfois.
Steph qui tout simplement l'aimait. Et elle pouvait bien pré-
tendre le contraire, prendre ses grands airs, elle aussi l'aimait.
Alors, s'il te plaît, arrête de jouer la comédie, remballe ton
fichu orgueil, aie le courage de baisser les armes, retirer la
cuirasse. Et, tout en parlant, je sentais Paul à mes côtés ; Paul
pour qui j'étais prête à tous les combats.

Quand j'ai eu terminé, un grand silence s'est abattu sur
le salon. Maman me regardait comme si elle me découvrait.
Dommage que, pour lui raconter mes amours à moi, ce soit
râpé !

Et puis Bernadette s'est levée et elle s'est adressée à Odile
d'une voix que je ne lui connaissais pas : sourde, encombrée.
Elle lui a dit que pour son fils c'était OK, elle l'attendait à
La Marette où il verrait ce qu'il verrait. Et il avait intérêt à se
magner, avant qu'elle ne se ravise et ne l'envoie au diable. Et
comme elle n'a jamais su faire les choses à moitié, elle nous
a offert le spectacle de grosses larmes roulant sur ses joues.

Odile s'est levée à son tour. Elle est allée à Bernadette et
l'a embrassée sans lui demander son avis. Après quoi elle lui a
dit très calmement qu'elle et son mari l'attendaient à Neuilly,
où ils souhaitaient de tout leur cœur la voir s'installer très
vite, non pas dans la cabane du jardin, mais dans l'une des
chambres de la maison. Et même si le gros mot « mariage »
n'a pas été prononcé, on l'a tous entendu. Pas femme à
renoncer à ses principes, madame de Saint-Aimond !

Ensuite, elle a remercié maman de l'avoir si aimablement
reçue, puis elle a tendu la main à papa, qui l'a effleurée de
ses lèvres. Et j'ai compris pourquoi il avait mis une cravate.

Tandis que je la raccompagnais à sa voiture, elle m'a confié que convaincre son mari de revoir Bernadette n'avait pas été chose facile. Et le plus dur restait à venir : le début du début d'un véritable dialogue entre ma sœur et lui.

Dès qu'il nous a vues, le majordome a soulevé sa casquette et il a ouvert la portière arrière de la limousine à sa patronne, qui, après m'avoir embrassée sur le front, s'y est glissée.

– Merci, Edgar. Nous rentrons à la maison, a-t-elle dit au chauffeur-majordome.

« Edgar », ça lui allait bien. Regardant s'éloigner la voiture, j'ai remercié le ciel d'avoir exaucé mon vœu : la réconciliation de Bernadette avec Steph. Ne me restait qu'à tenir la promesse faite devant la piscine hollywodienne de Neuilly, Edgar pour témoin : m'y jeter tout habillée la prochaine fois que je serais conviée.

Aïe, aïe, aïe.

Vendredi 1ᵉʳ mai, une chance, il fait beau ! Vendredi noir pour la circulation, bleu roi pour moi, assise près de Paul dans sa voiture, direction Saint-Rémy-lès-Chevreuse où je m'apprête à faire la connaissance de Margaux Démogée, sa mère.

« Mai : fais ce qu'il te plaît. » Hier, j'ai procédé à un grand chambardement de penderie. J'ai remisé l'hiver au grenier et j'en ai descendu les joyeuses tenues de printemps-été. Et ce matin, au petit déjeuner, j'arborais une jupe en jean et un tee-shirt fleuri.

– Ne vas-tu pas un peu vite en besogne ? s'est inquiétée maman.

– Et tu fais quoi, cet après-midi ? s'est enquise la Poison en essuyant une moustache de chocolat.

– Cueillette du muguet avec des amis.

– Quels amis ?

– Tu ne les connais pas.

J'ai surpris le regard échangé par les parents. Forcément, ils avaient flairé quelque chose et se demandaient eux aussi :

« qui » ? Qu'est-ce que j'attendais pour parler de Paul à maman ? Ça pouvait paraître invraisemblable, mais, depuis la visite d'Odile de Saint-Aimond, je n'en avais pas trouvé l'occasion. Avec Noël, les grands week-ends de printemps sont ceux où sa boutique marche le mieux, la plupart du temps, elle rentre tard à la maison. Et puis était-ce bien le moment de lui parler de mes états d'âme alors que Bernadette, après avoir mis la maison sens dessus dessous avec les siens, se retranchait derrière un rideau de fer ?

En attendant, captifs d'un gros embouteillage à la sortie de Paris, je raconte à Paul le nouveau défi lancé à notre classe par Mme Garcia : la « Lettre ouverte », à quelqu'un de notre choix. Je cherchais une idée, Béatrice me l'a donnée avec sa sombre réflexion le jour où elle m'avait présenté son Héloïse : « Finalement, de nous trois, je suis la seule orpheline. » Larguée par sa mère, abandonnée à elle-même par un père ambassadeur toujours par monts et par vaux. « Pauvre petite fille riche », champagne à gogo, mais privée de l'essentiel : la présence près d'elle de deux parents solides et attentifs.

– À travers Béa, je vise tous les parents qui baissent les bras, renoncent à jouer leur rôle de guide, de protecteur, auprès de leurs enfants. Qui ne savent même plus leur parler d'amour.

– Voilà un beau et vaste sujet, remarque Paul. N'oublie quand même pas qu'il existe des enfants qui refusent d'être guidés. Et ce, quels que soient leurs parents.

Parle-t-il de lui ? Ne m'a-t-il pas confié un jour que ses rapports avec son père étaient compliqués ? De lui-même, il répond à ma question.

CHAPITRE 40

– Je supportais mal l'autoritarisme de mon père. D'autant qu'il était souvent absent. Par ailleurs, son métier de galeriste à la recherche de jeunes talents me fascinait. Peut-être étais-je simplement jaloux ?

Jaloux ? Une question me brûle les lèvres : le père de Paul avait-il décelé son talent ou n'avait-il d'yeux que pour la précoce Camille ? Une raison supplémentaire pour abandonner ses pinceaux ?

Fini, la pierre et le béton, nous roulons à présent dans un paysage apaisé, paré de toutes les couleurs du printemps.

– Et ta mère, Paul ? Tu ne m'as presque rien dit d'elle.

Son visage s'éclaire. J'apprends qu'elle aura bientôt 60 ans. Elle-même artiste, assistait son père dans leur galerie du 6ᵉ arrondissement de Paris et elle n'aimait rien tant que de l'accompagner lors de ses voyages. Après la mort de celui-ci, elle avait laissé la galerie à leur associé sans pour autant rester inactive.

– Elle se rend dans les écoles de la région pour parler d'art aux enfants. Je vais t'étonner, il paraît qu'ils adorent Picasso.

Pourquoi pas ? Picasso n'avait-il pas lui-même abondamment puisé dans les dessins d'enfants pour nourrir son inspiration ?

Saint-Rémy-lès-Chevreuse : 5 km. Au loin, un château. Dans un champ, des chevaux galopent, cette rivière qui brille au soleil s'appelle l'Yvette, partout, la forêt. En m'emmenant chez sa mère, Paul ne me fait-il pas le plus beau des cadeaux ? Que lui a-t-il dit de moi ? Pourvu que je lui plaise.

Ces deux imposantes demeures, côte à côte, dans une large allée bordée de lampadaires, je les reconnaissais : elles figuraient sur les photos qu'Élisabeth m'avait montrées chez elle. Celle à tourelles, la sienne, avait ses volets fermés. Sur le seuil de sa voisine, une femme est apparue, belle sous des cheveux tout blancs. À peine Paul a-t-il eu quitté la voiture qu'un chien a bondi sur lui, jappant de bonheur. Paul a laissé tomber sa canne et s'est accroupi pour le caresser.

– Mais oui, mon Franklin, je suis là, c'est bien moi.

J'ignorais qu'il y avait un chien dans sa vie, un beagle, race que l'on dit douce et intelligente. Mais Margaux nous avait rejoints.

– Permettez-moi de vous embrasser, Pauline. Et je vous avertis : par ici, c'est trois fois.

Elle sentait bon l'œillet. Elle avait les yeux clairs de Camille.

Nous l'avons suivie dans sa maison. Elle avait prévu café et jus de fruits que nous avons dégustés au salon qui donnait sur le jardin. Paul a été clair : l'urgence absolue était d'aller cueillir le muguet avant que les détrousseurs de forêts n'aient sévi. Aussi, la dernière gorgée avalée, nous sommes-nous élancés, Margaux panier au bras, Franklin sur les talons.

Dans cette forêt apprivoisée, aux longues allées lumineuses, bien tracées, le chêne était roi. Et nombreux les promeneurs, venus en famille, dont les enfants couraient en tous sens, provoquant parfois le lourd envol d'un oiseau, poussant des cris de victoire dès qu'ils découvraient un brin de muguet. Paul connaissait en effet les bons coins, ceux où l'humus se mêle à la broussaille et aux ronces. Il les écartait du bout de sa canne et c'était merveille que de voir apparaître les fraîches clochettes, nichées au creux de la feuille duveteuse, et en sentir le parfum puissant.

Docile, Franklin restait à l'écart, les yeux fixés sur son maître, avec, dans le regard, cette peur de l'abandon que l'on trouve chez tous les chiens. Il était très beau, avec ses longues oreilles soyeuses, ses pattes et son ventre blanc, sa fourrure où se mêlaient toutes les teintes de beige. À un moment, Paul et lui nous ayant devancées, Margaux s'est approchée de moi.

– Paul m'a beaucoup parlé de vous, Pauline. Je suis heureuse de vous connaître enfin.

Je me suis sentie rougir.

– Il m'apporte beaucoup.

– Vous lui avez rendu son sourire.

Le sien m'a dit qu'elle savait.

Lorsque le panier a été à demi rempli, nous avons pris le chemin du retour. Avant de quitter la forêt, pensant à Bernadette, j'ai demandé à Paul de me prendre en photo appuyée à un chêne, mon oreille contre son écorce. Puis c'est sa mère qui a tenu à nous photographier tous les deux. Plus tard, à ma demande, elle transmettrait ces photos sur mon portable.

Durant le repas, composé de poulet froid et de salades variées, Margaux m'a confié qu'elle ne pouvait pas s'endormir sans avoir lu quelques pages d'un livre. Elle avait une prédilection pour les polars venus du froid. Nous avons échangé des titres. Paul se taisait. Il nous regardait et il avait l'air heureux. Soudain, j'ai eu envie qu'il me prenne dans ses bras, tout mon corps l'a réclamé. Si nous avions été seuls, aurais-je osé… ?

Dans la salle à manger, sur une console, s'alignaient des photos de famille. Après le repas, je m'y suis attardée. Plusieurs représentaient Paul en compagnie de son père. La ressemblance était frappante : même corpulence, mêmes cheveux et yeux foncés. Mais son père à lui ne portait pas la barbe et une décoration ornait le revers de sa veste.

– Les palmes académiques pour son action en faveur de l'art, m'a appris Paul. Quant à notre ressemblance, j'ai mis un certain temps à l'accepter, mais, aujourd'hui, j'en suis fier.

Nous avons pris le café dans le jardin, puis Margaux et moi nous sommes étendues sur des transats au soleil. Tout près, Paul confectionnait des bouquets sur une table en fer forgé, ajoutant au muguet des pivoines blanches venant des plates-bandes de sa mère : blanc sur blanc, des bouquets de poète. Le soleil chauffait mes jambes nues ; dans le bleu intact du ciel, le point minuscule d'un avion laissait derrière lui un sillage argenté. Je me suis revue dans le jardin de la résidence, travaillant à mon interview, craignant le jugement de Paul. Mon Dieu, si j'avais pu nous voir ici, à cet instant ! C'est cela, aimer : des « si » à n'en plus finir, en se délectant à l'idée qu'on aurait pu se manquer.

Mais le plus beau restait à venir.

À notre arrivée, j'avais remarqué, dans le salon, un tableau représentant un paysage de collines entre lesquelles serpentait une rivière. Le soleil couchant enflammait le ciel, se réverbérant dans l'eau avec des reflets sanglants. Au premier plan, assis contre un arbre, un enfant, vu de dos, regardait le paysage. C'était beau, fort, troublant. C'était Paul.

Alors que nous nous apprêtions à partir, il s'y est arrêté et il l'a désigné à sa mère.

– Que dirais-tu si je m'y remettais ?

Le visage de celle-ci s'est rempli d'un mélange de douleur et de bonheur.

– Ton père en aurait été si heureux.

J'avais la réponse à la question que je m'étais posée ce matin dans la voiture : le père de Paul connaissait et appréciait son talent.

Durant le trajet de retour, nous avons peu parlé. Il n'y a pas si longtemps, je redoutais les silences et m'efforçais de les remplir comme s'ils me mettaient en danger. Près de Paul qui ne les craignait pas, ils me semblaient naturels.

Pour l'aller, je l'avais rejoint à Paris, il a tenu à me raccompagner jusqu'à Jouy-le-Moutiers. Arrivés près de la maison, je lui ai proposé d'entrer. Comment faire autrement ?

– Un autre jour, avec bonheur.

Le soulagement, mêlé à la joie d'une promesse, m'a pointe.

– Paul, je t'aime.

Il s'est penché sur moi et il a effleuré mes lèvres des siennes.

– Et moi, tellement !

Et il est parti.

Ce samedi 2 mai, lendemain de mon équipée à Saint-Rémy, soleil toujours au rendez-vous, les parents et moi prenions le café après un bref en-cas à la cuisine quand Henri a appelé pour nous annoncer que Claire avait perdu les eaux. Ils venaient d'arriver à l'hôpital, il nous tiendrait au courant de la suite des événements.

L'air soucieux de papa n'avait rien de surprenant : l'accouchement n'était prévu que fin mai. Presque un mois d'avance.

— Quand Cécile rentera ce soir, elle saura enfin si elle a gagné son pari : un garçon ! a remarqué maman avec entrain, mais sans parvenir à dérider le futur grand-père.

Après lui avoir proposé une balade dans les environs pour « s'aérer l'esprit », sans plus de résultat, de guerre lasse, maman est allée s'installer dans le jardin avec un livre et un vibrant : « Qui m'aime me suive ! » La Poison ne se serait pas privée de la taxer de « chantage aux sentiments ».

Papa n'a pas tenu dix minutes. Il s'est levé, s'est éclairci la gorge.

— Je crois que je vais aller faire un petit tour là-bas. Juste pour voir comment se présentent les choses. Tel que je connais Henri, il ne m'en voudra pas.

« Là-bas », à la maternité de l'hôpital de Pontoise où ses quatre filles avaient vu le jour. Il a filé. Je me suis demandé si, du jardin, maman entendrait démarrer sa voiture.

Je l'y ai rejointe avec *Le Grand Meaulnes* au programme. La tonte de la pelouse avait pris du retard et une quantité de fleurs sauvages s'en donnaient à cœur joie. Qui sait si, en cherchant bien du côté de « petit bois », on ne trouverait pas quelques clochettes nichées dans les racines des sapins de Noël recyclés ? Et, évoquant ces clochettes, pour la millième fois depuis la veille, j'ai senti le bref baiser de Paul sur mes lèvres et je n'ai pu m'empêcher de sourire.

Il me rappelait ceux que j'échangeais avec Béa, à l'abri de sa chambre, l'année où nous nous étions connues, lorsque je n'osais pas encore lui résister. Elle avait baptisé ces baisers le « grand frisson ». Après avoir mis un CD de ses chanteurs préférés, nous nous avancions lentement l'une vers l'autre, puis nous joignions nos lèvres et les laissions longuement soudées avant de nous séparer. C'était tout.

— Ça ne t'a rien fait ? chuchotait-elle en s'écartant, les joues enflammées.

Rien ! Sinon une grosse gêne et la peur que quelqu'un nous surprenne.

Il m'était arrivé récemment de me demander si ce jeu, pourtant innocent, avait quelque chose à voir avec l'attirance de Béa pour Héloïse. Me la présentant, ne m'avait-elle pas lancé, avec son humour habituel : « Puisque apparemment je n'étais pas ton genre. »

Me voyant apparaître, maman a libéré le repose-pied de son transat pour me permettre de m'y asseoir. J'ai remarqué, au creux de sa jupe, son portable allumé : elle aussi se faisait du souci pour Claire. Je ne lui ai pas dit que papa était parti aux nouvelles. C'était pour une autre raison que je l'avais rejointe et mon cœur battait.

– Maman, j'ai rencontré quelqu'un. Il s'appelle Paul Démogée. Il est peintre et travaille dans une maison d'édition à Paris. Il a 30 ans. Nous nous aimons.

Tant de semaines, de mois d'interrogation fiévreuse, de doute, de tourments, de joie... racontés en moins d'une minute !

Bien, sûr, maman se doutait. Elle m'a souri tendrement.

– Je suis heureuse pour toi, ma chérie. Peux-tu m'en dire un peu plus ?

Je lui ai d'abord avoué qu'hier je lui avais menti à propos du bouquet de muguet et de pivoines qu'elle avait tant apprécié. Il ne venait pas d'une boutique à Paris, mais de la vallée de Chevreuse où vivait la mère de Paul, à laquelle il m'avait présentée. Et je lui ai montré la photo de nous, prise par elle, contre le chêne.

– Il a l'air fort et gentil, a-t-elle remarqué.

Il y a un an, dans ce même coin de jardin, c'était de Pierre que je lui avais parlé. Je venais de rompre, je l'aimais encore et la seule idée de l'oublier un jour, ne plus brûler pour lui, m'était insupportable. Depuis, j'avais appris que les brûlures s'apaisent et qu'il est vain de chercher à oublier : il vaut mieux tenter de reconstruire sur la blessure.

J'ai également raconté à maman l'accident dont avait été victime le père de Paul et sa jeune sœur Camille. Depuis, il utilisait une canne. Ça ne le gênait pas, ni moi.

– M'autorises-tu à parler de lui à ton père ? m'a-t-elle demandé.

J'ai revu papa trépignant dans le salon, son visage tendu.

– Avec ce qui arrive à Claire, plus les soucis concernant Bernadette et Steph, tu ne crois pas que ça ferait un peu trop ?

– Rien, venant de nos filles, ne sera jamais trop pour nous, a protesté maman en élevant la voix et une allégresse m'a traversée et j'ai eu envie d'accomplir des grandes choses.

Comment avais-je pu ne rien dire à maman de ce qu'il m'arrivait alors que Charlotte et Béa étaient au courant ? Charlotte, depuis le début ! C'était seulement hier, face à Margaux, que l'injustice m'était apparue. Pas l'occasion ? Allons ! Les occasions, ça se crée. Et d'un coup, je me suis sentie légère, libérée.

– En revanche, pour Cécile, je préférerais attendre un peu, ai-je ajouté.

– Cécile et ses sondages, a soupiré maman, les yeux au ciel.

Ça avait commencé par un sondage intitulé : « Ados et désirs sexuels », suivez mon regard. Le suivant s'appelait : « Première fois : échec ou réussite ? » Il était suivi de conseils sur les différentes stratégies à adopter. Bien sûr, le porno ne laissait pas Cécile indifférente, comme tant de pré-ados qui, dès 11 ans, en savaient autant sinon davantage que leurs parents.

Le dernier en date concernait le nombre de partenaires qu'hommes et femmes avaient au cours de leur vie. Si, avant le mariage, le nombre restait modeste (deux ou trois pour les femmes, le double pour les hommes), après, les chiffres explosaient : au total, une vingtaine pour eux, la moitié pour elles. À noter qu'elles rattrapaient leur retard à vitesse grand V.

Dix partenaires dans ma vie. Non merci ! Et ce sondage ne confortait-il pas ce que je déplorais dans ma « lettre ouverte » : le peu de cas que les adultes faisaient de l'amour aujourd'hui ? Du coup, j'ai parlé à maman du devoir que nous avait donné notre prof de français et du cri de colère que j'exprimais dans ma lettre à l'encontre des parents irresponsables. Je lui en ai donné le titre : « Lettre ouverte aux parents qui passent sans nous voir ». Et j'en ai profité pour la remercier d'avoir bien fait le boulot ainsi que papa. Il m'a semblé voir ses yeux se mouiller ; depuis quelque temps, à La Marette, c'est les grandes eaux.

Un peu plus tard, son portable a enfin sonné. Elle a mis le haut-parleur.

– C'est un garçon, a annoncé papa d'une voix brouillée. 2,7 kg, en bon état de fonctionnement, mais il devra rester quelques semaines en couveuse.

– Et Claire, elle va comment ?

– Princièrement.

– Le prénom ? ai-je crié.

– Oscar.

« Récompense décernée à une grande œuvre », dit le dictionnaire. Synonyme : César. Ça devrait plaire à grand-mère. Plus tard, je réaliserais qu'Oscar était le second prénom de Claude Monet.

Après avoir raccroché, maman a gardé un instant le silence.

– Il faut que tu saches, ma chérie, que les garçons sont plus fragiles que les filles. Nous devrons faire particulièrement attention à lui.

– Je sais, ai-je répondu.

Les hommes aussi. Pierre me l'avait appris.

LETTRE AUX PARENTS
QUI PASSENT SANS NOUS VOIR

Vous les parents qui nous traitez d'enfants gâtés et vous désolez de ne nous voir jamais satisfaits, réclamant toujours davantage alors que vous nous avez privés de l'essentiel : votre regard, votre autorité et suffisamment de votre temps.

Vous qui vous plaignez de notre manque de valeurs : le respect de l'autre, le civisme, la loyauté, la responsabilité, alors que vous-mêmes omettez le plus souvent de les pratiquer.

Vous qui, nous voyant accros à nos écrans, incapables de nous en passer, et en redoutez les conséquences sur notre santé, alors que c'est vous qui, dès notre plus jeune âge, les avez mis entre nos mains, vous-mêmes la proie de cette addiction qui nous isole en nous faisant croire que nous sommes les maîtres du monde. Vous qui nous traitez de vagabonds alors que vous ne nous avez pas donné de limites.

Vous qui ne savez plus parler d'amour alors que c'est la grande affaire de tous et le meilleur moyen de s'élever. Qui, las des sites de rencontres et des brèves étreintes sordides qui vous laissent plus seuls encore, qui aspirez à rencontrer l'âme sœur tout en négligeant la vôtre, incapables de voir que là, tout près, à portée de cœur, se trouve celui ou celle qui y aspire aussi.

Écoutez nos chansons, toutes ces chansons qui disent notre soif d'aimer et notre désir d'être le premier, le seul pour quelqu'un. Redevenez des parents dignes de ce nom, regardez-nous, touchez-nous, offrez-nous des buts et l'envie de les atteindre, montrez-nous la voie qui satisfera et notre esprit et notre corps. Prenez-nous par les épaules, engueulez-nous s'il le faut. Écoutons ensemble le cri de la terre afin d'aider à la sauver. Apprenez-nous à être en paix avec nous-mêmes pour éviter les guerres.

Aimez-nous bien. Aimez-nous mieux.

J'ai envoyé ma « Lettre ouverte » en priorité à Béa. En y ajoutant un mot où je lui disais que, dans mon cœur, cette lettre lui était dédiée, à elle, sa vaillance, son ardeur, son cran. Je l'y remerçiais de m'avoir choisie pour amie, j'en étais, j'en serais toujours fière.

Sa réponse ne s'est pas fait attendre, elle lui ressemblait. Moi, Pauline, l'hyper-gâtée par la vie, la rassasiée, la repue, il m'en aurait fallu du temps et du champagne millésimé pour reconnaître enfin ses mérites, entendre le chant de la vagabonde éprise d'aventure et de liberté. Puisque c'était fait, elle daignait me pardonner et, bien obligée, reconnaître que ma « lettre » était topissime. Elle lui rappelait celle d'un certain Émile Zola prenant la défense d'Alfred Dreyfus, dans son fameux « J'accuse ! ».

Tout ou rien, Béa : moi, Zola !

Sans me comparer au fameux auteur, Paul m'a dit qu'il ne s'était pas trompé sur mon compte : ces mots débordant de feu démontraient que je mériterais un jour le beau nom d'écrivain.

Maman ? On devine. Papa ? Éberlué : avait-il vraiment fabriqué une fille aussi douée que ça ?

L'Ascension, encore un pont ! Mais celui-là sous un ciel menaçant et une pluie à décorner les bœufs. L'orage menace, M. Tavernier craint pour ses haricots grimpants, sa fierté.

Et ce jour où les cloches des églises parlent de résurrection, je m'apprête à présenter Paul à mes parents. J'ai lâchement laissé maman annoncer à papa que j'avais rencontré quelqu'un, lui répéter ce que je lui avais confié à son sujet. Nous sommes attendus à La Marette en fin d'après-midi.

Pour le moment, Charlotte et moi révisons les examens de fin d'année : la Grèce au programme. Salut Platon, Aristote, Épicure et les autres qui ne nous ont pas rendues plus sages. À ajouter le chouchou de Charlotte : Chrysippe, « mort de rire », je n'invente pas. Je profite d'un pause café-chocolat pour lui raconter mon équipée avec Paul chez sa mère, à Saint-Rémy-lès-Chevreuse. Sa gentillesse, sa générosité. Elle semble perplexe.

– C'est bien beau tout ça, mais toi, toujours vierge et martyre ?

– Ni l'une ni l'autre. Nous prenons seulement notre temps.

– Je suppose que tu lui as parlé de Pierre ?

– Pas encore, j'avoue.

– QUOI ? rugit-elle. Et imagine une seule seconde qu'il espère, à juste titre, être le premier. Tu attends la nuit de noces pour lui apprendre qu'il n'en est rien ? Que tu as abondamment batifolé avec un autre ? T'as la trouille, c'est ça ?

Elle désigne ma « Lettre ouverte » en bonne place sur sa table de nuit.

— Elle est où, la redresseuse de torts ? Le courage, c'est seulement sur le papier ?

Je ne réponds pas. Rien à dire pour ma défense.

Paul m'attendait dans sa voiture en bas de chez Charlotte. La pluie tombait de plus belle. Il s'est penché et il a ouvert la portière pour m'éviter d'être trop saucé.

— « C'est pendant l'orage qu'on connaît le pilote. » Sais-tu qui a dit ça ? m'a-t-il demandé en démarrant.

— Aucune idée.

— Sénèque, philosophe romain, an 4 avant Jésus-Christ.

Le « pilote »… Celui qui sait conduire sa vie ? Qu'en dirait Charlotte ?

— Parle-moi de ton père, a réclamé Paul.

Et il est vrai que je lui en avais beaucoup moins parlé que de maman. Je lui ai décrit l'homme passionné par son métier, attentif aux plus faibles, sachant manier l'humour, et qui, pour avoir élevé quatre filles de toutes les couleurs, toutes les humeurs, aurait bien mérité d'être décoré, comme son père à lui, des palmes académiques. Il a approuvé en riant. Et, cette fameuse « Poison », ferait-il enfin sa connaissance ce soir ? J'ai omis de lui révéler que j'avais demandé à maman de l'éloigner : cinéma-McDo avec Amélie, sa marraine, qui l'hébergerait ensuite pour la nuit.

Nous arrivions déjà. Avant de sortir de la voiture, il m'a prise dans ses bras :

— Des quatre péronnelles, il se trouve que Mme Chance m'a offert la plus réussie.

Et, sous la mitraille de la pluie, dans le tam-tam de l'orage, il m'a cette fois embrassée vraiment. Pierre a disparu.

Papa avait eu la bonne idée d'allumer un feu au salon. Avec la raie bien tracée dans ses cheveux, son pull sans trous, ses souliers cirés, il semblait être invité chez lui. Maman était habillée comme d'habitude, un peu de poudre sur le nez et les cils faits quand même. Elle a tendu la main à Paul qui y a appuyé ses lèvres avant de serrer vigoureusement celle de papa. C'était éteint dans la chambre de Bernadette.

Différentes bouteilles avaient été disposées sur la table basse : Coca, porto, whisky. Surtout pas de champagne ! Le champagne, c'est pour les présentations officielles. Ce soir, je me contentais de faire connaître à mes parents l'homme que j'aimais. Nous n'avions aucun projet précis. Mariage, enfants, ce serait pour plus tard. Paul ne venait pas demander ma main à papa. Aujourd'hui, les filles la donnent toutes seules, avec le reste, et sans demander la permission à personne. Et à l'heure du pacs et de l'union libre, le mot « fiançailles » est devenu ringard pour la plupart.

Nous nous sommes installés devant le feu. Maman et moi avons pris du porto, Paul et papa un whisky-soda, et nous avons parlé de tout et de rien. De la pluie, bienvenue pour les agriculteurs après des mois de sécheresse. Du peuplier au fond du jardin, fendu en deux par la foudre et dont on avait découvert qu'il était creux, condamné de toute façon. Du beau et difficile métier d'éditeur à l'heure du livre électronique, de maman à la recherche de la perle rare pour sa « Maison de Louisa », du musée Marmottan. J'en ai profité pour avertir les parents que Paul et moi passerions le prochain week-end à Giverny, sur les pas de Claude Monet.

Ça faisait longtemps que je n'avais pas bu de porto, la dernière fois, c'était avec grand-mère qui aimait bien. Je le dégustais à petites gorgées en songeant aux belles dames d'autrefois, le sirotant, petit doigt levé. Dehors, la pluie continuait à tomber. Par la fenêtre, on pouvait voir M. Tavernier dans son living éclairé, le visage tourné dans notre direction, s'invitant chez nous. Il faudrait que je lui parle de Paul, ça le réconforterait, lui qui n'a plus personne. Je sentais sur moi le regard de papa, incertain, troublé, comme s'il cherchait à se préparer à me perdre, alors qu'il savait très bien que ça n'arriverait jamais. Le regard de maman sur Paul était confiant. Dehors, la nuit tombait, le ciel grondait pour rien : demain le jour reviendrait. Sont passées cette fugitive douceur, cette joie secrète qui ressemblent au bonheur.

Ainsi, Claude Monet avait vécu dans cette longue maison aux volets verts, bordée de rosiers grimpants, ouverte sur le jardin avec lequel elle se confondait.

Il avait dormi dans cette chambre aux murs tapissés des œuvres de ses amis : Cézanne, Renoir, Pissaro, bien d'autres… Et par les deux larges fenêtres, il pouvait admirer, de son lit, les mauves agapanthes, les capucines, coquelicots et pivoines du jardin agencé par lui.

Séparée de la sienne par un cabinet de toilette, se trouvait la chambre d'Alice, toute simple, donnant sur la pièce minuscule où elle aimait à coudre des nappes damassées. Alice, femme très aimée de Monet, dont la mort, d'une leucémie, l'avait dévasté.

Puis c'était la chambre de « l'ange bleu », celle de Blanche, peintre et modèle : une chambre de jeune fille, aurait-on dit, avec son papier fleuri et une multitude de bibelots choisis par elle, dont il était interdit de s'approcher en raison des vols.

Descendant l'escalier étroit, il fallait imaginer les cavalcades des huit enfants qui habitaient les lieux, dont Jean, le fils que Monet avait eu de Camille, sa première épouse.

Au rez-de-chaussée, on découvrait d'abord le « petit salon bleu », salon de lecture, communiquant avec « l'épicerie », où étaient conservés, au frais, thés, huile d'olive, herbes et œufs des poules du poulailler dont la famille faisait grande consommation. Et, tout près, le salon-atelier où travaillait le maître quand il ne plantait pas son chevalet dans le jardin.

Il y avait aussi la salle à manger, de couleur jaune, ornée d'estampes japonaises, passion de l'artiste qui y puisait son inspiration. Mais la merveille était la cuisine, chauffée par un immense poêle à bois et charbon. Une vaste pièce au sol carrelé de rose, aux murs de faïence bleue où scintillaient les cuivres de nombreuses casseroles. Une lampe, pendant du plafond, éclairait la table sur laquelle se préparaient les repas, tandis qu'une horloge de parquet égrenait les heures.

Et toutes ces pièces donnaient sur le jardin.

C'était surtout pour celui-ci qu'affluaient les touristes du monde entier. Ce jardin dessiné par le peintre, empli d'arbres et de fleurs, traversé par un pont japonais, descendant vers l'Epte, rivière dont un bras avait été détourné par Monet pour y faire son fameux bassin peuplé de nymphéas.

C'est un guide, rattaché à l'hôtel de l'Hermitage, près de Giverny, où nous étions descendus, qui nous a accompagnés, ainsi qu'un petit groupe de touristes, tout au long de la visite. L'après-midi touchait à sa fin lorsqu'elle s'est terminée, le soleil se décolorait, les odeurs du printemps, mêlant passé et présent, se dissipaient peu à peu.

Paul et moi nous sommes attardés au village. Nous avons visité l'église romane Sainte-Radegonde, épouse de Clovis, reine de France, avant de nous installer à la terrasse d'un café joliment appelé La Capucine. Demain, Paul avait projeté de m'emmener à Château-Gaillard, ville de Richard Cœur de lion, et de visiter les bords de Seine, aussi avait-il réservé une suite pour la nuit à l'hôtel. Celle-ci n'étant pas prête lorsque nous étions arrivés, nous avions laissé nos sacs à la réception.

Une suite : deux chambres ? Chambre et salon ? Depuis le matin, la question n'avait cessé de tourner dans ma tête : ferions-nous l'amour cette nuit ? Eh oui, Charlotte, j'y étais prête, je le souhaitais. Mais, quelle que soit la réponse, je n'avais plus le choix : il me fallait parler à Paul de celui qui l'avait précédé.

Et sur cette terrasse envahie par les touristes, où l'on parlait toutes les langues, j'ai enfin prononcé les mots retenus depuis trop longtemps.

— Paul, il faut que je te dise : j'ai connu un homme avant toi. Il s'appelait Pierre, il avait 40 ans, une compagne et une fille. C'était un photographe de talent, il m'a proposé de le suivre aux États-Unis, il voulait m'épouser. J'ai refusé. C'était il y a un an.

Paul n'a pas répondu. Son regard m'a quittée, il s'est perdu au loin. M'en voulait-il ? Avait-il rêvé, comme le supposait Charlotte, d'être le premier ?

Et puis il m'a souri et j'ai respiré à nouveau.

— Pauline, il faut que je t'avertisse : j'ai eu plusieurs passantes dans ma vie. Elles n'y restaient jamais longtemps et aucune n'a habité chez moi. Il me semble que je t'attendais.

D'un coup, les mots se sont pressés sur mes lèvres.

— Je ne savais pas très bien qui j'étais ni ce que je voulais. J'avais peur de quitter la maison. Finalement, je n'étais qu'une gamine qui rêvait d'être traitée en femme.

Paul s'est penché sur moi, il a pris ma main.

– J'étais un homme égaré, sans but. Je rêvais sans le savoir d'une femme qui m'aiderait à accepter que, en me remettant à peindre, je ne trahirais personne.

C'était la chose la plus belle, la plus forte qu'il m'avait jamais dite. Et j'ai su que, ce soir, cette femme serait la sienne.

C'était l'heure du dîner quand nous sommes rentrés à l'Hermitage. La vaste salle à manger, prolongée par une terrasse, était pleine. Dans le brouhaha des conversations et des rires, on entendait les accents d'un piano.

– Une table vous a été réservée, nous a indiqué le réceptionniste.

Paul m'a interrogée du regard, j'ai fait « non ».

– Nous avons déjà dîné, merci, a-t-il menti.

Nos sacs avaient été montés dans notre suite. L'employé a tenu à nous y accompagner. Elle se trouvait au premier et unique étage. Après avoir ouvert la porte, il a remis la clé à Paul.

– Le petit déjeuner est servi à partir de 7 heures, dans la salle à manger ou dans la chambre. Je vous souhaite une bonne nuit.

Il s'est éclipsé.

Nous nous trouvions dans un salon meublé d'un canapé, de deux fauteuils et d'une table ronde. Derrière un bar, un mini-réfrigérateur ronronnait. Nous avons commencé par visiter les lieux. Salon et chambre étaient séparés par une luxueuse salle de bain. Dans la chambre, au pied du lit king size, préparé pour la nuit, draps rabattus, oreillers gonflés, nos sacs avaient été posés.

J'ai jeté ma veste sur le lit, Paul a laissé sa canne en travers d'un fauteuil et nous sommes revenus au salon.

Tandis que je m'installais sur le canapé, il a vidé le contenu du réfrigérateur sur la table basse : canettes de jus de fruits, bière, et plusieurs petites bouteilles d'alcool.

– Pour madame, ce sera quoi ?

– La même chose que pour monsieur.

Il a vidé dans de hauts verres deux canettes de jus de pamplemousse, y a ajouté deux mignonnettes de vodka, des glaçons, puis il s'est assis près de moi.

– Nazdorowié ! a-t-il lancé en levant son verre.

J'y ai heurté le mien.

– Da, camarade Paul.

Et il a ri.

Tout en dégustant nos boissons, nous nous sommes remémoré cette journée, nous attardant à certains moments, nous félicitant de la compétence de notre guide, de sa gentillesse. Et, ce faisant, j'éprouvais le sentiment étrange de n'être pas vraiment là, d'être en suspens. Dans un instant, Paul et moi occuperions le grand lit de la chambre voisine. Ce serait l'aboutissement de toutes ces semaines, ces mois, où nous avions marché l'un vers l'autre, sans hâte, apprenant à nous connaître, nous apprécier. Il y avait eu des moments de bonheur, de joie, de douleur aussi, mais le chemin était accompli. Nous arrivions enfin. Et tant pis pour les clichés qui disent si justement les choses : ce soir, nous ne formerions plus qu'un. Et comme pour gagner encore un peu de temps sur l'inéluctable, nous avons parlé des femmes de Claude Monet : Camille et Alice, ses épouses, mais aussi Blanche et toutes celles qui avaient enjolivé sa vie.

Il était plus de 10 heures quand je suis passée dans la salle de bain.

– Prends tout ton temps, ma chérie, m'a recommandé Paul et ça m'a fait sourire.

Après avoir récupéré mon sac dans la chambre, je me suis dévêtue sans me presser, regardant dans la glace en pied cette fille aux cheveux châtains, aux yeux bleu-vert, qui me ressemblait. Cette fille plutôt jolie, mais sans rien d'extraordinaire, à qui Paul avait appris à s'aimer et qui, demain à son réveil, ne serait plus tout à fait la même. « Ni tout à fait la même, ni tout à fait une autre », comme l'a si bien écrit Paul Verlaine.

Après une douche rapide, en prenant garde à ne pas trop mouiller mes cheveux, j'ai revêtu la longue chemise blanche à dentelle que j'avais chapardée la veille à Claire, dans la commode de sa chambre, où elle a laissé toutes sortes de vêtements et d'objets pour marquer un territoire qu'elle refuse de libérer tout à fait. Comme Bernadette, en somme. Comme moi, demain ? Dur dur d'abandonner la maison d'enfance ! Puis je suis passée dans la chambre.

La lampe d'une des tables de nuit était allumée. Je suis allée à la fenêtre et j'ai fermé les rideaux, prenant soin à laisser passer le rai de lumière qui, enfant, me rassurait si bien en me répétant que je n'étais pas seule et que le jour reviendrait. Puis je me suis étendue sur le lit et j'ai attendu Paul.

Il avait une serviette nouée autour des reins. Il était beau, solide, puissant. Quand il s'est étendu près de moi, j'ai senti la broussaille humide de son torse sur ma peau et j'ai frissonné. Il m'a d'abord lentement, longuement embrassée, comme ce soir-là près de la grille de La Marette dans la pluie et le vent, mais, ce soir, c'était d'une autre tempête qu'il s'agissait et qui s'apprêtait à m'emporter tout entière. Il écartait les pans de ma chemise et me caressait, la nuque d'abord, puis les seins, en me disant que j'étais belle et que je lui appartenais. Puis sa main descendait sur mon ventre et la vague montait qui, à la fois, me tendait et me vidait de mes forces. Je me suis écartée de lui pour le caresser à mon tour, le regarder, faire connaissance avec son corps. Mais, quand j'ai voulu le prendre dans ma main, il n'était pas là.

– Pardonne-moi, mon cœur, a-t-il murmuré. Je t'ai trop attendue, trop longtemps voulue, désirée. Et tout ce bonheur d'un coup…

Alors je l'ai entouré de mes bras, je lui ai dit que ça n'avait pas d'importance, je l'aimais, je l'aimais. Et, me souvenant des paroles de maman : « Les garçons sont plus fragiles que les filles », j'aurais voulu pouvoir le bercer comme un enfant. Il a éteint la lampe sur sa table de nuit. En bas, le piano jouait toujours. À bout d'émotion, je me suis assoupie.

Les doigts de Paul, effleurant mes seins, me ramènent à la conscience. La musique s'est tue, je sens son souffle sur ma joue, je garde les yeux fermés, je ne bouge pas : je dors, mon amour, je dors.

Sa main descend sur mon ventre, s'y attarde, réveillant mon désir. Je voudrais lui dire de continuer, surtout ne pas s'arrêter, je me tais. N'aie crainte, Paul, je dors.

Puis sa main descend, vient là où je l'attends, prête à le recevoir. Son souffle s'accélère, il se soulève, se dresse au-dessus de moi. Alors, seulement, je l'entoure de mes bras, m'ouvre à lui, demande, exige. Et comme il me pénètre, je libère la plainte et danse avec lui, m'accorde à son rythme, encore, encore, jusqu'au haut de la crête où à la fois on voudrait demeurer toujours, tout en en criant à l'accomplissement.

Il s'est abattu sur moi comme un guerrier vaincu, comme un homme comblé en répétant mon nom, et j'ai su que j'étais arrivée.

Enfin les vacances ! En septembre prochain, Charlotte et moi nous retrouverons en seconde année de lettres à la Sorbonne. À propos, ma « Lettre ouverte » paraîtra fin juillet dans les pages littéraires du *Monde*, rien que ça ! D'ici que je prenne la grosse tête.

Oscar est enfin sorti de l'hôpital : presque un mois en couveuse, quand même. Depuis, c'est le défilé chez ses parents pour l'admirer. L'admirer ? Tout brun, tout fin, velu : « Le prince des têtards, le poil en plus », a résumé Cécile. Et malgré le « prince », ça n'a pas eu l'heur de plaire à sa mère, qui lui trouve une « beauté particulière ». Quoi qu'il en soit, vivant au-dessus de la « Maison des orphelins », pourvu qu'il ait du cœur, il ne devrait pas manquer d'amis.

Grand-mère, pressée de faire la connaissance de son premier « arrière », nous arrive le week-end prochain. J'en profiterai pour lui parler de Paul : il est temps. La grande question : viendra-t-elle avec son prétendant ? On vote tous pour.

Du côté de Bernadette, les choses progressent. Sans news de Stéphane depuis la rupture, on commençait à se faire du souci, et voilà que samedi dernier, à l'heure du petit déjeuner, elle sort de sa chambre, le tirant par la main, tous deux en pyjama, lui l'air horriblement gêné et heureux à la fois. Il a bafouillé un « bonjour », on y a tous répondu d'une seule voix et on a dégusté brioches et croissants chauds, offerts par papa, comme si de rien n'était.

D'après ce que nous avons compris, ils cherchent un appart' pas trop cher, près de Paris. Pas gagné ! De toute façon, ça n'a pas l'air trop bien parti pour la chambre conjugale à Neuilly. Je pense souvent à Edgar, le gentil majordome des Saint-Aimond, ainsi qu'à la promesse que j'avais faite en sa compagnie de me jeter tout habillée dans la piscine si Bernadette et Steph se réconciliaient. Confirmé ! Ne me reste qu'à attendre l'invitation. Je ne suis pas pressée.

J'ai profité d'un samedi où toute la famille était réunie à La Marette pour présenter Paul à mes sœurs, un peu confuse d'avoir attendu si longtemps. Craignant une maladresse de la Poison, je leur ai signalé qu'il boitait à la suite d'un accident de voiture, sans m'étendre sur le sujet. À lui de leur en dire davantage lorsqu'il jugera le moment venu.

Tout s'est passé au mieux. Le soleil étant de la partie, nous avons déjeuné dans le jardin. Paul a aidé papa à gérer la côte de bœuf sur le barbecue comme s'il était là depuis toujours. Maman l'a chargé de la tâche délicate et honorifique de la découper. Parfait !

À deux pas de la table, à portée de main de Claire et Henri, sa majesté Oscar 1er agitait ses pattes dans son landau princier. Le mariage de ses parents est prévu début septembre. Et bien sûr, la Poison n'a étonné personne en sortant le dernier sondage sur l'âge moyen pour se marier aujourd'hui : 30 ans pour les femmes, 37 pour les hommes. Il m'a semblé qu'elle s'adressait à moi. J'en aurais confirmation plus tard.

Claire, elle, a voulu savoir comment nous nous étions connus. Et quand j'ai répondu « au bistro », elle a fait la grimace. Alors j'ai ajouté « sous le signe de l'art », lui rappelant au passage qu'elle avait découvert son Henri au pied du Parthénon. Stéphane regardait le têtard d'un œil mélancolique. Celui de Bernadette, sombre. Eux, à quand l'héritier ?

Paul est reparti après le café : un rendez-vous à L'Embellie. À ce propos, il m'a appris qu'Élisabeth avait enfin accepté la situation. Hum !

Étendue sur mon lit, je récapitulais cette journée quand Cécile a fait irruption dans ma chambre, tête des mauvais jours.

— Alors, toi aussi ? a-t-elle attaqué.

— Moi aussi quoi ?

— Tu vas t'en aller. Comme Claire, comme Bernadette bientôt.

— Le problème ?

— Tu me vois seule, à table, entre les parents ?

À la vérité, pas vraiment, grandeur et décadence. Je me suis efforcée de la rassurer. Paul et moi avions réfléchi : nous étions d'accord pour patienter, avant de vivre ensemble, jusqu'à ce que j'aie terminé mes deux années de lettres, davantage si je visais un doctorat. Bien sûr, en attendant, nous nous verrions énormément : durant les week-ends, pendant les vacances. Nous avions des projets de voyages.

— Et les bébés ? a demandé drôlement Cécile.

— Plein de bébés, mais pas pour tout de suite.

Re-sondage, rapidement effectué : en moyenne, les femmes ont leur premier à 30 ans, ces messieurs à 35. Je n'ai pas dit à ma petite sœur que j'avais bien l'intention de m'y mettre avant. Toute joyeuse, elle a quitté ma chambre en chantonnant : « Quand on n'a que l'amour ».

Charlotte connaissait Paul par cœur. Béa et Héloïse ne l'avaient jamais rencontré. J'ai fait d'une pierre trois coups lors d'un pique-nique au Luxembourg. Ça a été très animé, sauf que Paul n'a guère eu droit à la parole, c'est ça, les familles de filles, demandez à mon père. Il n'empêche qu'on a toutes eu le bec cloué, moi la première, lorsqu'il a sorti de sa poche un écrin renfermant une bague ornée d'un trèfle à quatre feuilles et qu'il l'a glissée sans difficulté à mon doigt : bagues de fiançailles ? J'apprendrais le soir qu'elle était destinée à Camille et que la douce Margaux serait heureuse de me la voir porter. Elle ne me quitte plus.

Au fond de ma sacoche d'hiver, j'ai retrouvé la carte qu'Oriane m'avait glissée le soir où Paul et moi avions dîné chez elle et Jacques. Il faudra que je l'appelle très vite pour la remercier. Sans elle, ce qu'elle m'avait confié du talent de Paul, aurais-je demandé à celui-ci de se remettre à la peinture ? Si je ne l'avais fait, où en serions-nous ? Il faut tant de hasards, d'impondérable, de chance aussi, pour que naisse un amour véritable. Cela tient parfois du miracle. Alors, surtout, regardez bien autour de vous, soyez disponibles, croyez en la magie !

Au mois d'août, nous partirons, Paul et moi, en Italie, à Florence. Il paraît que l'air y est doux et la beauté présente à chaque tournant de rue. Nous prendrons la voiture, Paul ayant décidé d'emporter chevalet, palette, couleurs et pinceaux.

Il a fait de moi une femme, me reste à devenir un écrivain digne de ce nom. J'ai décidé d'écrire un roman. J'y raconterai l'histoire d'une famille de quatre filles vivant aux environs de Paris. Père médecin généraliste, tolérant, généreux, attentif aux plus faibles, capable de piquer de grosses colères qui le rendent plus beau encore. Mère brocanteuse à mi-temps, écouteuse à plein.

En ce qui concerne les filles, il y aura une princesse jamais rassasiée d'amour et de reconnaissance, une passionnée des arbres, prête à donner sa vie pour un chêne et une horripilante petite dernière capable de mettre le monde à l'envers pour sauver un ami victime de harcèlement. C'est la troisième fille qui racontera l'histoire. Elle a toujours rêvé d'écrire, les mots la fascinent, leurs couleurs, leur musique, leur pouvoir. Il paraît que la première phrase d'un roman a une grande importance : elle ouvre la porte à l'histoire, elle en donne la tonalité.

On cite souvent celle de Marcel Proust : « Longtemps, je me suis couché de bonne heure. » J'ai trouvé la mienne : « Je n'ai jamais aimé mon nom. » Les psys affirment que cela signifie : « Je ne me suis jamais aimée. » Cela devrait toucher pas mal de personnes. Je raconterai comment peu à peu, sans jamais perdre espoir, cette fille est parvenue à mieux se connaître et à s'aimer davantage. Qui sait si cela n'en aidera pas quelques-uns.

Pour le titre, j'hésite : *Claire, Bernadette, Pauline, Cécile et les autres* ? Pas mal, mais rappelant un peu trop à mon goût le film de Claude Sautet. *L'Esprit de famille* ? Pris. Et pourquoi pas tout simplement : *Les Quatre Filles du docteur Moreau* ? Rien de très original, mais l'important n'est-il pas que l'on se sente bien dans cette famille, au chaud, à l'abri ? Et aussi, pourquoi pas : vu, reconnu, aimé ? N'est-ce pas tout ça, une maison ?

Cet ouvrage a été imprimé en France par
CPI Bussière
Z.I. rue Pelletier Doisy
18200 Saint-Amand-Montrond (France)

pour le compte des Éditions Fayard
en avril 2019

Photocomposition Belle Page

Fayard s'engage pour
l'environnement en réduisant
l'empreinte carbone de ses livres.
Celle de cet exemplaire est de :
0,900 kg éq. CO_2
Rendez-vous sur
www.fayard-durable.fr

PAPIER À BASE DE
FIBRES CERTIFIÉES

Dépôt légal : avril 2019
N° d'édition : 50.3686.9/01 - N° d'impression : 2044132